D1413263

# Le pouvoir
# CRÉATEUR
# de la colère

HARRIET GOLDHOR LERNER

# Le pouvoir CRÉATEUR de la colère

Traduit de l'américain
par
Catherine Chaleyssin

*À ma première famille:*
*Ma mère, Rose Rubin Goldhor*
*Mon père, Archie Goldhor*
*Ma sœur, Susan Henne Goldhor*

*Et à la mémoire de mes grands-parents:*
*Henne Salkind Rubin et Morris Rubin*
*Teibel Goldhor et Benny Hazel Goldhor*

*Le pouvoir créateur de la colère* est basé sur des cas réels, mais les noms ainsi que toutes les caractéristiques permettant d'identifier les personnes citées ont été modifiés afin de préserver leur vie privée.

# Chapitre premier

# Le défi de la colère

La colère est un signal qu'il faut écouter. Notre colère nous dit qu'on nous fait du mal, qu'on viole nos droits, que nos besoins et nos désirs ne sont pas satisfaits, ou bien, tout simplement, que quelque chose ne va pas. Elle nous dit qu'il y a dans notre vie un problème émotionnel non résolu, ou que nous investissons trop de nous-mêmes — opinions, valeurs, désirs, ambitions — dans une relation. Elle nous révèle que nous en faisons trop, que nous donnons plus que de raison. Ou bien elle nous met en garde: peut-être les autres nous aident-ils trop, nous empêchant ainsi de nous épanouir et de parvenir à notre maturité. Tout comme la douleur physique nous fait retirer la main du feu, la douleur de la colère nous aide à préserver l'intégrité de notre personnalité. Notre colère peut nous pousser à dire non aux définitions que les autres donnent de nous, et oui à ce que nous souffle notre moi intérieur.

Et pourtant, depuis bien longtemps, on demande aux femmes de ne pas exprimer directement leur colère, de ne pas même en être conscientes. Nous sommes tout sucre tout miel, nous sommes les nourrices, les consolatrices, les pacificatrices, celles qui stabilisent les bateaux à la dérive. À nous de plaire, de protéger, d'apaiser le monde. Comme si notre vie en dépendait, nous sommes prêtes à tout pour préserver les relations établies.

Les femmes qui expriment ouvertement leur colère envers les hommes sont suspectes. Même si la société comprend nos désirs d'égalité, «les femmes en colère» font fuir tout le monde. Contrairement à nos héros mâles, ceux qui se battent et vont jusqu'à mourir pour leurs idées, les femmes sont condamnées lorsqu'elles soulèvent une révolution pacifiste et humanitaire pour défendre leurs droits. Si elles expriment directement leur colère envers les hommes, elles deviennent vulgaires, elles perdent leur féminité, leur caractère maternel, leur attirance sexuelle. Même le langage les condamne: ce sont des mégères, des garces, des pestes, des harpies, des emmerdeuses, des malbaisées, des castratrices. Elles n'aiment personne, et personne ne les aime. Ne me dites pas que vous voulez être comme elles! Constatons en passant, et cela ne manque pas d'intérêt, que notre vocabulaire ne dispose d'aucun mot péjoratif pour décrire les hommes qui expriment leur colère envers les femmes. Même «bâtard» ou «fils de pute» sont des injures qui ne condamnent pas l'homme, mais rejettent la faute sur une femme — la mère!

Les tabous qui condamnent l'expression de la colère sont si forts qu'il n'est déjà pas si facile de savoir que nous sommes en colère. Lorsqu'une femme le montre, il est fort probable qu'on la traitera comme si elle était irrationnelle, ou pis encore. Lors d'une conférence à laquelle j'assistais récemment, une jeune femme médecin faisait une communication sur les femmes battues. Ses idées étaient nouvelles et intéressantes, et l'on voyait que son sujet la passionnait réellement. Au beau milieu de son intervention, un psychiatre bien connu qui se trouvait derrière moi se leva et sortit. Il se tourna vers son voisin et prononça ce diagnostic implacable: «Eh bien celle-là, elle est vraiment en colère!» Et voilà tout! Il avait détecté — ou cru détecter — de la colère dans le ton de sa voix, et cela suffisait à la dévaloriser en tant que personne. La seule éventualité que nous soyons effectivement en colère nous met en face de réactions de rejet et de désapprobation: comment s'étonner alors que nous ayons du mal à reconnaître ce sentiment quand nous l'éprouvons et à l'accepter!

Pourquoi les femmes en colère sont-elles si menaçantes? Lorsque nous nous sentons coupables, déprimées, lorsque nous doutons de nous, nous restons à notre place. Nous n'entreprenons aucune action, si ce n'est contre nous-mêmes. Nous ne risquons pas de provoquer des changements personnels ou sociaux. En revanche, les femmes en colère veulent du changement, elles remettent en cause notre mode de vie tout entier, comme l'ont bien montré les dix dernières années de féminisme. Et le changement génère de l'angoisse pour tout le monde, y compris ceux qui le souhaitent.

Alors nous apprenons à craindre notre colère, non seulement parce qu'elle suscite la désapprobation des autres, mais aussi parce qu'elle signifie qu'il faut que les choses changent. Nous nous posons des questions qui bloquent ou anéantissent notre expérience: Ma colère est-elle légitime? Ai-je le droit d'être en colère? Être en colère, à quoi ça sert? À quoi bon? Toutes ces questions pourraient bien être d'excellents moyens pour nous réduire au silence et faire taire notre courroux.

La colère n'est ni légitime, ni illégitime; on n'a pas à dire si elle signifie quelque chose ou si elle ne sert à rien. Elle existe, c'est tout. Lorsque je me demande si elle est légitime, c'est comme si je me demandais si ma soif est légitime. Ai-je le droit d'avoir soif? Après tout, j'ai bu un verre d'eau il y a à peine un quart d'heure. Cette soif-là n'est pas légitime. D'ailleurs, ça ne rime à rien d'avoir soif: de toute façon, il n'y a rien à boire.

La colère, nous la ressentons. Elle a sa raison d'être, elle mérite toujours notre respect et notre attention. Tout ce que nous éprouvons, nous avons le droit de l'éprouver, même si c'est de la colère.

Certaines questions, néanmoins, méritent d'être posées: Après quoi suis-je réellement en colère? Où est le problème, et est-ce mon problème? Comment déterminer qui est responsable de quoi? Comment pourrais-je exprimer ma colère d'une façon qui ne me laissera ni désemparée, ni impuissante? Quand je suis en colère, comment puis-je le faire savoir sans paraître agressive ou sur la défensive? Quels sont les risques que je prends si j'adopte une attitude plus claire, plus sûre? Si me mettre en colère ne m'apporte rien, que faire d'autre? Telles sont les questions que nous nous poserons dans les chapitres suivants. Notre objectif ne sera pas de nous débarrasser de notre colère ou de mettre en doute sa validité, mais d'en comprendre plus clairement les sources pour apprendre à adopter des attitudes nouvelles et différentes.

Et le revers de la médaille? S'il est vrai que ressentir de la colère signifie qu'il y a un problème, il est également vrai que l'exprimer ne le résout pas forcément. Cela peut au contraire servir à maintenir, et même à consolider, les vieilles règles, les anciens modes de fonctionnement d'une relation, de telle sorte qu'aucun changement ne peut se produire. En situation émotionnelle intense, beaucoup d'entre nous s'engagent dans des efforts stériles pour changer l'autre; lorsque nous agissons ainsi, nous oublions d'exercer notre capacité à clarifier et à modifier notre propre personne. La vieille théorie (colère refrénée/colère exprimée) qui affirme que si on laisse sortir les choses, on se protège des risques psychologiques qu'on court lorsqu'on les intériorise, est tout simplement fausse. Lorsque nous nous battons tout en continuant à nous soumettre à des circonstances injustes, lorsque notre mode de vie trahit nos espoirs, nos valeurs et notre potentiel, ou lorsque nous nous mettons à ressembler au vieux stéréotype de la société — la femme amère, destructrice, la garce, l'emmerdeuse — nous ne pouvons pas éviter les sentiments de dépression, de baisse de l'estime de soi, de trahison de soi et même de haine de soi.

Celles qui sont enfermées dans des modes inefficaces d'expression de la colère souffrent tout autant que celles qui n'osent pas se mettre en colère du tout.

## Quand la colère va mal

Si nos vieilles méthodes de gestion de la colère ne fonctionnent pas, il y a de fortes possibilités que nous nous retrouvions dans une des catégories suivantes (ou les deux). Dans le groupe des «gentilles», nous nous efforçons à tout prix d'éviter la colère et les conflits. Dans la catégorie des «pestes», nous nous mettons facilement en colère, mais nous gaspillons notre énergie dans des bagarres inutiles, nous nous plaignons et nous critiquons, ce qui ne nous mène à aucune solution constructive.

Ces deux styles peuvent vous paraître complètement différents. Et pourtant, tous deux sont aussi efficaces pour préserver les autres, pour brouiller notre identité, et pour nous assurer qu'il n'y aura aucun changement. Voyons comment cela fonctionne.

## Le syndrome de la «gentille»

Nous, les gentilles, comment nous comportons-nous? Dans des situations qui, normalement, devraient provoquer colère et protestations, nous gardons le silence — nous pleurnichons, nous nous en voulons, nous avons de la peine. Si nous ressentons de la colère, nous la gardons pour nous afin d'éviter tout conflit ouvert. Mais nous ne gardons pas que la colère: en plus de cela, il nous arrive d'éviter d'exprimer clairement notre opinion ou nos sentiments, lorsque nous avons l'impression que cela risque d'incommoder quelqu'un et de mettre en évidence des différences entre nous et ce quelqu'un.

Lorsque nous nous comportons ainsi, notre énergie se consacre à la protection de l'autre et à la préservation de l'harmonie de nos relations, aux dépens de la définition de notre identité. Avec le temps, nous perdons notre identité, car nous consacrons tant d'efforts à décrypter les réactions des autres et à nous assurer que nous ne faisons pas de vagues, que nous savons de moins en moins ce que nous pensons, ce que nous ressentons, ce que nous voulons réellement.

Plus nous sommes gentilles, plus nous accumulons de colère et de rage inconscientes. La colère est inévitable si nous passons notre vie à céder, à «faire avec»; lorsque nous assumons la responsabilité des sentiments et des réactions des autres; lorsque nous avons abandonné notre responsabilité première, qui est d'assurer notre propre épanouissement et la qualité de notre vie; lorsque notre comportement exprime que, pour nous, la relation à l'autre est plus importante que notre identité. Bien sûr, il nous est interdit de ressentir la colère puisque, par définition, les gentilles ne sont pas des femmes en colère.

Alors commence un cycle infernal: plus nous cédons, plus nous «faisons avec», plus notre colère monte. Plus nous faisons d'efforts pour la réprimer, plus nous craignons inconsciemment un raz-de-marée si jamais notre colère venait à sortir. Et alors, nous la réprimons de plus belle… et ainsi de suite. Et quand nous finissons par éclater, c'est là que nous confirmons vraiment notre idée: notre colère est effectivement irrationnelle et destructrice. Les autres nous étiquettent: nous sommes névrosées! Pendant ce temps-là, les vrais problèmes ne sont toujours pas abordés, et le cycle recommence.

Nous, les gentilles, nous ne sommes pas très fortes pour ressentir de la colère. En revanche, nous culpabilisons très bien. Nous cultivons la culpabilité, comme la déprime ou la peine, tout cela pour écarter toute conscience de notre colère. Colère et culpabilité sont quasi incompatibles. Si nous nous sentons coupables parce que nous ne donnons pas assez aux autres, parce que nous n'en faisons pas assez pour les autres, il est peu probable que nous nous mettrons en colère parce que nous ne recevons pas assez. Si nous nous sentons coupables parce que nous avons l'impression de ne pas remplir notre rôle de femme tel qu'il est défini, nous n'aurons ni l'énergie ni l'idée de mettre en question la définition elle-même — et celui qui l'a formulée. Rien de tel pour bloquer la conscience de la colère que la culpabilisation et le doute de soi. Notre société cultive la culpabilisation des femmes à un point tel que beaucoup d'entre nous se sentent coupables lorsqu'elles ne sont pas pour les autres la station-service émotionnelle qu'elles se croient obligées d'être.

Il n'est pas facile non plus de rassembler le courage nécessaire pour cesser de nous sentir coupables, pour nous mettre à utiliser notre colère en nous posant les questions qui vont nous permettre de savoir ce qui est bon, ce qu'il faut faire pour améliorer notre vie. Juste au moment où nous commençons à vouloir vraiment que cela change, il arrive que les autres mettent les bouchées doubles et accentuent leurs tactiques culpabilisantes. On nous traite d'égoïstes, d'égocentriques, de rebelles, on dit que nous ne sommes pas féminines, que nous manquons de maturité, que nous sommes névrosées, irresponsables, que nous ne savons pas donner, que nous sommes froides, ou castratrices. De telles agressions envers notre personnalité et notre féminité nous sont parfois intolérables. Puisqu'on nous a appris que notre valeur et notre identité résident dans le fait d'aimer et d'être aimée, il est évidemment très difficile pour nous de faire face à une telle remise en question de notre charme et de notre féminité. Alors, il est bien tentant de présenter des excuses, de reculer et de retrouver la bonne vieille place qui est la nôtre afin d'obtenir des autres leur approbation.

Contrairement aux «pestes», qui, à tout coup, perdent les concours de popularité quand elles ne perdent pas leur emploi, les gentilles sont récompensées par la société. Mais elles paient le prix fort, et ce prix affecte tous les aspects de leur vie émotionnelle et intellectuelle. «Ne rien voir de mal, ne rien entendre, ne rien dire»: voilà la règle inconsciente que se fixent celles d'entre nous qui refusent la conscience et l'expression de leur colère. Le mal qu'il nous faut éviter comprend toutes les pensées, tous les sentiments, toutes les actions qui pourraient nous mettre en situation de conflit ouvert, ou même de désaccord avec les autres, du moins ceux qui sont importants. Pour obéir à cette règle, nous devenons des somnambules. Nous ne voyons plus rien clairement, nous ne pensons plus avec précision, nous ne sommes plus libres de nos souvenirs. Alors, nous atteignons un stade où une quantité inestimable d'énergie créative, intellectuelle et sexuelle est piégée par le besoin de réprimer la colère et l'interdiction d'en prendre conscience.

## Le syndrome de la «peste»

Nous, les pestes, ne craignons jamais de nous mettre en colère et d'affirmer nos différences. Néanmoins, dans une société où la femme en colère n'est guère valorisée, nous courons le danger qu'on nous colle l'une ou l'autre des étiquettes qui contribuent à nous réduire au silence lorsque nous devenons menaçantes, surtout pour les hommes. Ces étiquettes, tout comme celle de «non féminine», mais en pis, ont suffisamment de pouvoir pour nous traumatiser et nous réduire au silence, ou encore pour nous irriter davantage en accentuant notre sentiment d'injustice et d'impuissance. Dans ce dernier cas, l'étiquette de «peste castratrice» peut devenir une prophétie autoréalisée.

Mais l'histoire ne s'arrête pas là. Les images et les mots négatifs décrivant les femmes qui osent parler ne sont pas seulement des stéréotypes sexistes cruels; ils sont également l'indice d'une réalité douloureuse. Des termes tels que emmerdeuse, geignarde, jamais contente, correspondent à une impuissance, à un manque total de pouvoir: ils désignent une situation qui ne pourra jamais changer. Ces mots-là reflètent bien la position de blocage qui nous caractérise lorsque notre vie déborde de troubles émotionnels et que rien ne change vraiment.

Si nous exprimons notre colère sans que cela ait d'effet, nous nous laissons volontiers coincer dans un cycle vicieux de comportement voué à l'échec. Nous savons que notre colère se justifie, mais nos revendications ne sont pas exprimées clairement, et alors elles entraînent la désapprobation des autres et non pas leur sympathie. Ceci ne fait qu'accroître notre sentiment d'amertume et d'injustice; et pourtant, tout du long, les vrais problèmes restent occultés. En plus, dans le pire des cas, nous devenons le bouc émissaire idéal des hommes qui craignent la colère des femmes et des femmes qui ne souhaitent pas reconnaître la leur.

À l'évidence, il faut bien du courage pour reconnaître la colère et l'exprimer devant les autres. Le problème se pose surtout lorsque nous nous retrouvons bloquées dans un processus de combat inefficace, de récriminations et d'accusations qui ne font que préserver le *statu quo*. Lorsque cela se produit, nous protégeons les autres sans nous en rendre compte, et ceci à nos dépens.

D'un côté, la femme en colère est une menace. Lorsque nous exprimons notre colère de manière inefficace — c'est-à-dire confusément, sans avoir d'objectif, sans exercer de contrôle — cela rassure les autres. Nous nous laissons mettre de côté et nous donnons aux autres une excuse pour ne pas nous prendre au sérieux et ne pas écouter ce que nous avons à dire. En fait, nous aidons même les autres à garder leur calme. Vous est-il déjà arrivé de vous retrouver face à une personne de plus en plus calme, de plus en plus sereine et de plus en plus «articulée» au moment où vous-même entrez en rage et devenez «hystérique»? Dans une telle situation, la nature de notre combat ou de nos accusations furieuses donne à l'autre la possibilité de prendre de la distance.

Celles d'entre nous qui s'efforcent de métamorphoser quelqu'un qui ne veut pas changer se battent inévitablement en vain. Si nous échouons dans nos efforts pour changer les opinions, les sentiments, les réactions ou le comportement d'une autre personne, nous persistons et nous en arrivons à réagir de façon prévisible, quasi systématique, ce qui ne fait qu'aggraver le problème qui nous préoccupe. Parfois, l'aspect émotionnel nous influence à tel point que nous sommes incapables de réfléchir à nos décisions, de nous comporter différemment, d'imaginer que d'autres solutions sont possibles. Alors, notre combat protège les vieux schémas familiers de nos rapports avec les autres, exactement comme le silence des gentilles.

Toutes, nous connaissons bien ces deux types de comportement qui nous mènent à l'échec et qui sont des cycles infernaux. En réalité, les gentilles et les pestes ne sont que les deux faces de la même pièce, même si, en apparence, elles sont radicalement différentes. Une fois les cartes sur table, le résultat est le même: nous demeurons impuissantes et désemparées. Nous avons la sensation de ne pas exercer de contrôle sur la qualité et le sens de notre vie. Notre sens de la dignité et du respect de soi en souffre, car nous n'avons ni clarifié ni résolu les vrais problèmes qui nous affectent. Et rien ne change.

Il faut dire qu'on ne nous a pas beaucoup aidées à apprendre à utiliser notre colère pour mieux nous comprendre et devenir plus fortes, pour mieux comprendre et pour renforcer nos relations. Bien au contraire, on nous a encouragées à craindre la colère comme la peste, à la nier complètement, à la diriger sur des cibles non appropriées, ou à la retourner contre nous. On nous a appris à nier l'existence de toute cause de colère, à fermer les yeux sur ses véritables origines, ou bien à l'exprimer de façon inefficace, de sorte qu'elle ne fait que préserver les choses plutôt que les remettre en question. Nous allons nous efforcer de désapprendre tout cela, d'utiliser notre énergie-colère et de la mettre au service de notre dignité et de notre épanouissement.

## Ce qui nous attend

Ce livre veut aider les femmes à abandonner des styles de gestion de la colère qui, à long terme, ne leur servent à rien. Ces styles sont, entre autres, la soumission silencieuse, le combat inefficace et l'accusation ainsi que la distanciation émotionnelle. Je voudrais vous aider à acquérir le savoir-faire et les connaissances nécessaires pour que vous cessiez de vous comporter de façon prévisible et que vous commenciez à utiliser votre colère pour clarifier votre nouvelle situation dans vos relations les plus importantes.

Quelle est l'orientation de ce livre? Le sujet de la colère affecte tous les aspects de notre vie, aussi ai-je dû faire des choix, dont celui de me concentrer principalement sur la famille. Car c'est dans nos rôles de filles, de sœurs, de maîtresses, de conjointes et de mères que nous éprouvons les plus grandes colères. Les relations familiales sont celles qui ont le plus d'influence sur notre vie, et ce sont les plus difficiles. Bien souvent, dans le contexte familial, intimité signifie blocage, et nos tentatives de changement ne nous mènent qu'à d'autres blocages. Le jour où nous aurons appris à utiliser notre énergie-colère afin de débloquer les relations les plus intimes, nous pourrons agir avec plus de précision, plus de contrôle et plus de sérénité à l'intérieur de toutes nos relations, qu'elles soient amicales, professionnelles, ou purement sociales. Tous les problèmes qui affectent nos relations avec nos proches et qui restent irrésolus ne font qu'allumer des feux dans nos autres relations.

Quelle est la perspective de ce livre? J'ai voulu faire un livre utile. J'ai sacrifié toutes les théories, même si elles étaient passionnantes, lorsque je pensais qu'elles n'avaient pas d'application claire et directe sur la vie des femmes. Au fur et à mesure que j'écrivais, je me suis aperçue qu'il fallait que je restreigne encore mon sujet, mais aussi que je l'élargisse.

Vous ne trouverez pas dans ce livre de recettes pour réussir en dix leçons. Pour devenir capables d'utiliser la colère comme outil de changement, nous devons mieux comprendre et mieux connaître le mode de fonctionnement des relations. Nous examinerons donc comment nous trahissons et sacrifions notre moi afin de préserver l'harmonie avec les autres (la dépersonnalisation); nous explorerons l'équilibre précaire entre l'individualité (le «je») et la communauté (le «nous») dans une relation; nous observerons les rôles et les règles qui définissent notre vie et finissent par provoquer nos colères les plus profondes tout en nous interdisant de les exprimer; nous analyserons les processus de blocage des relations, et nous verrons comment on peut les déverrouiller. Nous verrons à quel point les relations intimes s'apparentent à une ronde dans laquelle le comportement de chaque partenaire provoque et maintient le comportement de l'autre. Bref, nous allons apprendre à utiliser notre colère comme un point de départ pour changer les schémas, et non plus pour accuser les autres.

Comment se servir de ce livre? Tout doucement. Même si votre comportement actuel vous paraît insensé ou suicidaire, il a ses raisons d'être et occupe peut-être une fonction positive et protectrice, pour vous-même ou pour les autres. Si nous voulons changer, il faut absolument le faire lentement: cela nous laissera le temps d'observer et de tester l'impact d'un changement apparemment infime mais profond sur un système relationnel. Si, dans notre ambition, nous voulons tout changer tout de suite, nous ne changerons peut-être rien du tout. Au lieu de cela, nous provoquerons tellement d'angoisse et d'intensité émotionnelle en nous-mêmes et chez les autres que nous ne ferons que réinstaurer les vieux schémas, les vieux comportements. Ou alors, nous éliminerons à la hâte une relation importante, et ce n'est pas forcément la bonne solution.

Surtout, lisez le livre en entier. Même si vous n'avez pas d'enfants, ne sautez pas le passage qui leur est consacré; même si vous êtes célibataire ou divorcée, ne sautez pas le passage sur les conjoints. Ce qui compte, c'est le schéma relationnel qui est décrit. Le rôle des partenaires n'est pas si important que la forme de la relation et son mode de fonctionnement. Souvenez-vous que chaque chapitre contient des informations qui concernent n'importe quelle relation. En lisant, vous pourrez les appliquer à d'autres situations et à d'autres relations, et cet exercice vous sera très utile.

Pour utiliser notre colère comme outil de changement dans nos relations, nous apprendrons à acquérir et à développer nos talents dans quatre domaines:

1. *Nous apprendrons à retrouver les origines véritables de notre colère et à savoir où nous en sommes.* Dans cette situation, qu'est-ce qui me met en colère? Quel est le véritable problème? Qu'est-ce que je pense, qu'est-ce que je ressens exactement? À quoi est-ce que je veux arriver? Qui est responsable de quoi? Qu'est-ce que je veux changer? Que suis-je prête à faire? Toutes ces questions semblent très simples, mais vous verrez qu'en réalité, elles sont très complexes. Paradoxalement, nous partons souvent en guerre sans savoir pourquoi. Souvent, nous consacrons notre énergie-colère à des efforts pour changer, plutôt que de l'utiliser dans le

but de clarifier notre situation et nos choix. C'est particulièrement vrai dans le cas des relations les plus proches; en effet, c'est dans ce contexte-là que, si nous ne savons pas utiliser notre colère pour clarifier d'abord nos pensées, nos sentiments, nos priorités et nos choix, nous nous retrouvons facilement piégées dans des cycles sans fin de bagarres et d'accusations qui ne nous mènent nulle part. Gérer sa colère, c'est immanquablement apprendre à développer un «je» plus clair et devenir un parfait spécialiste de soi-même.

2. *Nous apprendrons les techniques de communication.* Ainsi, nous optimiserons nos chances de nous faire entendre et de mieux négocier les conflits et les différends. Ce n'est pas forcément une mauvaise chose que d'exprimer notre colère spontanément, comme elle nous vient, et sans faire intervenir la pensée ou l'esprit de décision. Dans certaines circonstances, c'est même utile; dans d'autres situations, c'est tout simplement nécessaire — à condition que nous sachions où nous arrêter. Néanmoins, bien souvent, le coup d'éclat nous soulage sur le moment, mais une fois l'orage passé, rien n'a vraiment changé. En outre, il existe un certain nombre de relations où il est essentiel de conserver une attitude calme et non agressive si l'on veut obtenir un changement durable.

3. *Nous apprendrons à reconnaître et à abandonner les schémas d'interaction non productifs.* Même dans les circonstances les plus favorables, il est difficile de communiquer de façon claire et efficace. Quand nous sommes en colère, c'est encore plus difficile. Au beau milieu de la tornade, comment rester lucide et souple? Quand les émotions sont fortes, nous pouvons apprendre à nous calmer et à prendre un peu de distance afin de déterminer quel rôle nous jouons dans les interactions dont nous nous plaignons.
Reconnaître et changer le rôle que nous jouons dans les schémas relationnels implique un sens accru de la responsabilité personnelle dans toutes nos relations. Lorsque je parle de responsabilité, je ne pense ni à l'auto-accusation ni à l'attitude qui consiste à nous considérer comme la cause du problème. Je parle de notre capacité à répondre, à réagir, c'est-à-dire de notre capa-

cité à nous observer et à observer les autres au cours de nos interactions, et à réagir de façon nouvelle et différente à une situation familière. Il n'est pas possible de forcer l'autre à changer sa façon de danser, mais si nous-mêmes adoptons un autre style, inévitablement la danse ne peut plus conserver son ancien mouvement.

4. *Nous apprendrons à anticiper et à faire face aux «contre-attaques» des autres*, parmi lesquelles leur désir de nous voir redevenir comme avant, que nous appellerons les réactions retour-arrière, tient une place importante. Chacune d'entre nous appartient à un groupe, à un système qui a quelque intérêt à nous voir rester exactement comme nous sommes. Si nous commençons à modifier nos vieux schémas de silence et de confusion, à abandonner nos bagarres et nos accusations inefficaces, nous serons inévitablement confrontées à une forte résistance et à des contre-attaques. Cette réaction retour-arrière viendra tout à la fois de nous-mêmes et de ceux qui nous touchent de plus près. Nous verrons comment ces derniers sont souvent ceux qui ont le plus d'intérêt à nous voir rester pareilles, quelles que soient leurs critiques ou leurs récriminations avouées. Nous aussi, nous résistons aux changements que pourtant nous voulons. Cette résistance au changement, tout comme la volonté de changement, est un aspect naturel et universel de tous les systèmes humains.

Dans les chapitres qui suivent, nous examinerons de près la forte angoisse qui surgit inévitablement lorsque nous commençons à utiliser notre colère pour définir notre propre identité et clarifier les tenants et les aboutissants de notre vie. Certaines d'entre nous seront capables d'être claires dès le départ dans leur façon de communiquer fermement le désir de changement, mais rebrousseront chemin face à la réaction de défense de l'autre ou à ses efforts pour démonter ce qu'elles disent. Si nous voulons vraiment le changement, nous apprendrons à prévoir et à gérer l'angoisse et la culpabilité qu'engendreront chez nous les «contre-attaques» ou les réactions retour-arrière qui viendront des autres. Il est encore plus difficile d'admettre ce qui en nous craint le changement et lui résiste.

Il n'est jamais facile d'abandonner la soumission silencieuse ou le combat inefficace au profit d'une affirmation sereine mais ferme de ce que nous sommes, de notre position, de nos désirs, de ce que nous jugeons acceptable ou non. Notre angoisse, quand il s'agit de clarifier notre pensée ou notre sentiment, est d'autant plus forte qu'il s'agit des relations les plus importantes. Plus nous serons claires et directes, plus les autres seront clairs et directs quant à leurs propres pensées, à leurs sentiments ou à leur ferme intention de ne pas changer. Une fois que nous aurons accepté ces réalités, nous aurons sans doute à opérer des choix difficiles. Garder ou interrompre une relation, une situation? Partir? Rester et tâcher de faire nous-mêmes quelque chose de différent? À toutes ces questions, il n'est pas facile de répondre. Il n'est pas facile d'y réfléchir non plus.

À court terme, il est sans doute plus simple de conserver nos vieux schémas familiers, même si l'expérience a montré qu'ils étaient insuffisants. À long terme, néanmoins, vous avez tout à gagner à mettre en pratique les leçons de ce livre. Non seulement vous apprendrez de nouvelles méthodes pour gérer vos vieilles colères, mais en outre vous acquerrez un «je» plus fort, mieux défini et, du même coup, un «nous» potentiellement plus intime et plus gratifiant. Bien souvent, nos problèmes de colère surgissent quand nous devons choisir entre une relation et notre identité. Grâce à ce livre, vous apprendrez à garder les deux.

# CHAPITRE II

# Vieilles réactions, nouvelles réactions et contre-attaques

La veille de mon dernier séminaire sur la colère, Barbara m'appelle chez moi pour annuler son inscription. Elle semble furieuse et presque désespérée.

— Je tenais absolument à venir, dit-elle, mais mon conjoint refuse. Je me suis disputée avec lui jusqu'à ce que je n'en puisse plus, mais c'est non.

— Mais pourquoi refuse-t-il?

— À cause de vous! Il dit que vous faites partie de ces féministes fanatiques et que ce séminaire ne vaut pas l'argent qu'il coûte. Je lui ai dit que vous étiez une psychologue célèbre, et que le séminaire serait formidable. Moi, je sais qu'il vaut ce qu'il coûte, mais je n'ai pas pu le convaincre. Il a dit non, et c'est non.

— Je suis désolée.

— Et moi donc! Depuis cette scène, j'ai terriblement mal à la tête, j'en ai pleuré. Et pourtant, je me suis bien battue. Mon conjoint a même convenu que ce serait une bonne chose que je fasse soigner mes colères!

Je raccrochai et me mis à réfléchir. À l'évidence, cette femme n'était pas obligée d'annuler son inscription. Elle aurait pu choisir une autre solution. Mais une autre solution aurait eu des conséquences désagréables. Peut-être même aurait-elle perdu la relation la plus importante de sa vie.

Et vous, comment réagissez-vous à cette conversation? Qu'en pensez-vous?

«Son conjoint est un sale macho!»
ou
«Cet homme-là n'est pas sûr de lui, il a peur de quelque chose.»

«Cette pauvre femme me fait pitié.»
«Cette femme est masochiste: elle ferait bien d'aller voir un psychologue.»
«Elle aurait dû prendre son manteau et aller au séminaire.»

«C'est sa faute à lui. Comment peut-il lui faire ça?»
«C'est sa faute à elle. Comment peut-elle le laisser prendre les décisions à sa place?»
«C'est la faute de la société. Quelle tristesse que les hommes et les femmes soient tellement conditionnés!»

«Elle est bouleversée parce que son conjoint ne veut pas qu'elle aille au séminaire.»
«Elle est bouleversée parce qu'elle a cédé.»

«Je me reconnais en elle.»
«Cette histoire n'a rien à voir avec moi.»

Toutes, nous avons une réaction différente face à cette situation. Parmi nous, beaucoup ne voudront pas s'identifier à cette histoire. Et pourtant, la réaction et les sentiments de Barbara ne sont ni désuets ni exceptionnels:

Elle se soumet à des circonstances injustes.
Elle sent qu'elle ne contrôle pas sa vie.
Elle n'affronte pas les vrais problèmes.

Elle n'est pas sûre de l'importance de son rôle dans ce dilemme.

Elle sacrifie son épanouissement pour soutenir et protéger son conjoint.

Elle préserve le *statu quo* de son couple, aux dépens de sa propre personnalité.

Elle n'ose pas tester la capacité de son couple à tolérer un changement de sa part.

Elle se sent impuissante et désemparée.

Elle transforme la colère en larmes.

Elle se donne une migraine.

Elle ne s'aime pas.

Elle est persuadée qu'elle s'est mal comportée.

Tout cela vous est étranger? Je suis sûre que non. Ces choses-là, ou certaines d'entre elles, nous arrivent chaque fois que nous engageons un combat inutile, chaque fois que nous nous plaignons ou que nous avons peur de nous battre.

Contrairement à certaines femmes qui n'osent pas s'opposer à leur conjoint ou à leur amant, Barbara est tout à fait capable de se mettre en colère. Son problème est qu'avec son système de lutte, rien ne change; elle protège son conjoint et le *statu quo* de leur relation, aux dépens de son épanouissement personnel. Quoi qu'il arrive, Barbara ne remet pas en question la formule de base de la relation: c'est son conjoint qui établit les règles. Elle se «dépersonnalise» pour lui.

Se «dépersonnaliser», qu'est-ce que c'est? À l'évidence, dans une relation et dans la vie en général, nous n'obtenons pas toujours ce que nous voulons. Quand deux personnes vivent sous le même toit, il est inévitable que surgissent des différends qui nécessitent des compromis, des négociations et des concessions. Admettons que le conjoint de Barbara ait été réellement bouleversé à l'idée de la voir partir au séminaire, et que Barbara elle-même n'y ait pas accordé tant d'importance: elle aurait très bien pu décider de renoncer. En soi, cela n'aurait pas constitué un problème pour elle.

Le problème survient lorsqu'une personne — souvent la femme — fait davantage de concessions et de compromis que son dû, et ne sait pas très bien où elle en est sur le plan de ses décisions et du contrôle qu'elle exerce sur ses choix. La dépersonnalisation, c'est quand une trop grande partie de notre personne (y compris nos pensées, nos désirs, nos opinions et nos ambitions) est «négociable» sous la pression d'une relation. Même quand la personne qui fait le plus de compromis ne s'en rend pas compte, elle se dépersonnalise. C'est elle qui emmagasine le plus de colère réprimée, et qui est le plus vulnérable à la dépression et aux problèmes émotionnels. Elle peut très bien se retrouver chez un psychothérapeute, ou même en hôpital psychiatrique, à se demander ce qui cloche en elle plutôt que de se poser la question de ce qui cloche dans la relation. Ou bien elle exprime sa colère, mais à des moments inadéquats, pour des prétextes futiles, d'une manière qui pousse les autres à l'ignorer ou à la considérer comme déséquilibrée ou déraisonnable.

Il existe une forme typiquement féminine de dépersonnalisation; c'est le «sous-fonctionnement». Le schéma «sur-fonctionnement/sous-fonctionnement» est courant chez les couples. Les recherches portant sur les systèmes conjugaux ont montré que quand un homme et une femme vivent ensemble et restent ensemble, c'est qu'ils ont atteint le même niveau d'indépendance et de maturité émotionnelle. C'est le principe des vases communicants: le sous-fonctionnement de l'un ouvre la porte au sur-fonctionnement de l'autre.

Prenons un exemple. Une femme peut se retrouver coincée dans le rôle du partenaire faible, vulnérable, dépendant. Son conjoint, dans la même proportion, va se refuser ces mêmes caractéristiques. Il commencera alors à consacrer la plus grande partie de son énergie émotionnelle à réagir face aux problèmes de son épouse, plutôt que d'identifier et d'exprimer ses propres problèmes. Dans les deux cas — sous-fonctionnement et sur-fonctionnement — les protagonistes provoquent et renforcent mutuellement leurs comportements; plus le temps passe, plus l'équilibre est difficile à trouver. Plus l'homme évite de partager ses propres faiblesses, ses dépendances, sa vulnérabilité, plus sa partenaire les éprouvera avec force. Plus la femme évite de montrer ses compétences et sa force, plus l'homme ressentira les siennes de façon exacerbée. Et si le partenaire sous-fonctionnant semble aller mieux, le sur-fonctionnant, au contraire, va de mal en pis.

Ma brève conversation téléphonique avec Barbara m'a montré qu'elle était l'élément sous-fonctionnant de son couple. Bien sûr, ce n'est pas toujours la femme qui joue ce rôle. Dans la vie, il existe bon nombre d'arrangements plus ou moins heureux. Parfois c'est l'homme qui sous-fonctionne, parfois c'est l'alternance, parfois même les deux partenaires se font concurrence et recherchent tous deux la position la plus basse possible.

Malheureusement, le sous-fonctionnement est une caractéristique que la société encourage chez les femmes. Même si certaines savent défier ou même renverser la situation, cet encouragement social sous-tend toutes les prétendues définitions de la féminité et toute l'éthique de la domination masculine. Les femmes sont fortement encouragées à cultiver et à exprimer toutes les qualités que les hommes craignent tant pour eux-mêmes et dont ils pensent qu'elles vont les affaiblir. Notre culture nous décourage de faire concurrence à nos partenaires masculins ou d'exprimer notre colère envers eux; c'est bien significatif du degré de douleur et de destruction que le «sexe faible» pourrait représenter pour les hommes s'il se mettait à être soi-même, tout simplement.

Bien sûr, les vieilles recommandations — «Fais-lui croire qu'il est le plus fort», «Fais comme si tu n'étais pas intelligente»... — sont passées de mode. Mais leur contenu reste une des règles fondamentales qui régissent l'inconscient d'innombrables femmes: le sexe faible doit cacher au sexe fort sa propre force afin que le sexe fort ne se sente pas menacé! On nous apprend à nous montrer plus faibles que nous ne le sommes et à donner aux hommes toute la force que nous abandonnons dans ce processus.

Le sous-fonctionnement prend de multiples formes. La femme, par exemple, refuse une proposition d'emploi ou évite une promotion lorsque son conjoint, plus ou moins ouvertement, l'informe qu'il veut que les choses restent ce qu'elles sont, ou quand elle craint qu'il ne se sente menacé par un tel changement. Elle protège son conjoint en se limitant aux tâches qu'il n'aime pas faire et en n'acquérant aucun talent, aucun savoir-faire dans les domaines qui sont les siens. Bien sûr, il se peut qu'en chemin, elle connaisse des problèmes émotionnels ou même physiques. Et sous ses plaintes, que trouve-t-on? Elle est

inconsciemment convaincue que, pour survivre, il lui faut absolument rester dans une position de faiblesse relative si elle veut
préserver la relation essentielle de sa vie. La femme complètement convaincue qu'elle ne peut pas survivre sans cette relation
agira comme Barbara — elle exprimera sa colère sur un mode
qui ne fait que renforcer les vieux schémas qui sont à l'origine
de sa colère.

## Accusations inefficaces/ Revendications affirmatives

Comment la dispute et l'accusation bloquent-elles le changement plutôt que de le faciliter? Analysons d'un peu plus près
la situation de Barbara. Pour commencer, Barbara a pris part à
une dispute sans issue et a utilisé l'énergie de sa colère pour essayer de faire changer d'avis son conjoint. On discerne deux
problèmes: d'une part, son conjoint a autant qu'elle le droit
d'avoir ses idées sur le séminaire. D'autre part, il est peu probable qu'elle réussisse à le faire changer d'avis. Peut-être même
son expérience lui a-t-elle permis de comprendre que ce sémi-
naire-là était exactement ce que son conjoint refuserait. Comme
elle disait: «Moi, je sais qu'il vaut ce qu'il coûte, mais je n'ai pas
pu le convaincre. Il a dit non, et c'est non.»

En s'engageant dans une bataille perdue d'avance, elle re-
nonçait à son pouvoir réel — le pouvoir de se prendre en charge
elle-même. Barbara aurait fait un pas décisif vers la réappro-
priation de sa personnalité si elle avait tiré au clair ses priorités
et agi de son propre chef. Elle aurait alors pu refuser la dispute
et dire à son conjoint: «Bon ou mauvais, extrémiste ou pas, ce
séminaire est important pour moi. Si j'annule uniquement parce
que tu l'exiges, je vais être furieuse et éprouver de la rancœur.
Ce séminaire m'intéresse, et je vais y aller.»

Alors, qu'est-ce qui a empêché Barbara de passer de la
dispute inefficace à la revendication affirmative et claire? Peut-
être craignait-elle d'avoir à le payer très cher? Que nous nous
battions inefficacement, ou que nous ne nous battions pas du
tout, nous croyons inconsciemment que l'autre en souffrirait si
nous nous montrions claires et déterminées. *Notre angoisse, notre*

*culpabilité quand nous pensons qu'il se peut que nous perdions une relation vont nous rendre le changement difficile, et ne nous aideront pas à garder le cap lorsque notre partenaire réagira violemment à notre comportement nouveau et différent.*

## Changer sa vie — Courir des risques

Et si Barbara avait agi différemment? Si elle avait exposé clairement sa nouvelle position à son mari? Si elle lui avait parlé à un moment où il était disponible et réceptif? Si elle avait expliqué son opinion fermement et calmement, sans colère ni larmes? Par exemple: «Je sais qu'à ton avis, ce séminaire ne vaut pas ce qu'il coûte. C'est ton opinion, et je la respecte. Mais je suis adulte, et je prends mes décisions moi-même. Je ne te demande pas de m'approuver ou d'être content, mais il faut *absolument* que je prenne cette décision moi-même.»

Imaginons que Barbara ait été capable de rester ferme sur le *véritable* problème («Je veux prendre mes décisions moi-même.»), qu'elle ait su éviter les détournements de conversation qui l'ont amenée à discuter de la valeur du séminaire, de ma personnalité et de ma formation. Supposons que sans dispute, sans accusations, sans vouloir faire changer d'avis son conjoint, elle s'en soit tenue à son affirmation de ce qu'elle voulait faire: «Bien ou mal, bon ou mauvais, je dois faire ce choix toute seule.»

Que serait-il arrivé à ce couple si Barbara avait remis en question le *statu quo* en affirmant calmement sa décision d'assister au séminaire? Qu'aurait fait son conjoint? Aurait-il fait du *forcing*, aurait-il dit: «Si tu y vas, je te quitte.»? Se serait-il mis à boire, à prendre des maîtresses, bref, à se comporter de façon inacceptable? Aurait-il réagi plus discrètement en boudant et en restant déprimé pendant quelques jours?

Bien sûr, nous ne le savons pas. Nous ignorons presque tout de ce couple. Une chose est certaine pourtant: chaque fois qu'un élément du couple fait un mouvement pour rééquilibrer les choses, il y a une contre-attaque de l'autre côté. Si Barbara avait adopté un nouveau comportement, son conjoint aurait fait une manœuvre de retour-arrière et se serait efforcé d'atténuer sa propre angoisse en rétablissant les vieux schémas de dispute.

Cette manœuvre, il l'aurait entreprise non pas parce qu'il n'aimait plus sa femme, ou parce que le séminaire lui déplaisait particulièrement, mais parce qu'il se serait senti menacé par la nouvelle attitude d'assurance, d'affirmation de soi, d'autonomie et de maturité adoptée par Barbara.

La nouvelle attitude de Barbara aurait eu des conséquences qui auraient dépassé de loin le cadre du séminaire. Elle aurait ainsi affirmé que ses décisions relevaient de sa responsabilité. En affirmant et en clarifiant fermement cet aspect important de la relation, elle aurait cessé d'être la femme qu'il avait épousée et avec laquelle il se sentait rassuré, en sécurité. Elle aussi aurait éprouvé de l'angoisse et des doutes. *Il existe peu de choses plus angoissantes que de passer à un niveau supérieur d'autonomie dans une relation importante, et de maintenir cette position malgré les contre-attaques du partenaire.*

Si Barbara renonce à son fantasme de vouloir changer son conjoint et commence à utiliser l'énergie de sa colère pour clarifier ses choix et entreprendre de nouvelles actions pour elle-même, elle sera moins perturbée par ses problèmes de colère, ceux qui proviennent de sa situation de sous-fonctionnement et de dépersonnalisation: migraines, baisse de l'estime de soi, amertume chronique, insatisfaction, entre autres choses. Le prix à payer est que son mariage, pour un temps au moins, sera aussi difficile à vivre — sinon plus — qu'avant. Les conflits et les problèmes sous-jacents referont surface. Alors elle se posera des questions sérieuses: «Qui prend les décisions concernant ma vie?» «Dans notre relation, comment se répartissent le pouvoir et la prise de décisions?» «Qu'arrivera-t-il à notre mariage si je deviens plus forte et que je m'affirme davantage?» «Si je dois choisir entre me sacrifier pour maintenir le calme dans la relation et m'épanouir en risquant de perdre ma relation, que vais-je choisir?»

Peut-être qu'actuellement, Barbara n'est pas encore prête à se colleter à de tels problèmes. Peut-être ne serait-elle pas aidée dans sa tentative. Peut-être croit-elle qu'une mauvaise relation, c'est mieux que pas de relation du tout. Pour autant que nous le sachions, elle-même a peur d'assister au séminaire et, inconsciemment, elle invite son conjoint à exprimer à sa place tous les sentiments négatifs à ce propos.

Attention! les dangers sont réels. Si Barbara était restée ferme sur sa décision, elle aurait inévitablement ressenti le besoin irrépressible d'affronter les autres problèmes. Alors qu'autrefois elle et son conjoint allaient peut-être ensemble comme les pièces d'un casse-tête, elle aurait sans doute changé de forme. Aurait-il suivi le mouvement afin qu'ils puissent continuer ensemble, ou l'aurait-il quittée? Aurait-elle, de son côté, au cours du processus de changement, décidé qu'elle devait le quitter? Pour l'instant, Barbara a choisi: elle protège son conjoint et conserve ses anciennes habitudes. Ce n'est pas uniquement un acte de soumission passive; c'est peut-être bien au contraire un choix actif destiné à sauvegarder la familiarité, la prévisibilité et la sécurité de sa relation la plus importante: son couple.

## La paix à tout prix

D'une certaine manière, Barbara n'est pas aussi «coincée» qu'elle le paraît. Elle est capable d'exprimer des idées et des opinions différentes de celles de son conjoint. Elle sait reconnaître que ce qu'elle veut pour elle-même diffère de ce que son conjoint veut pour elle. Elle connaît aussi ses priorités. Elle préfère, en cette circonstance au moins, s'accommoder des désirs de son conjoint plutôt que de risquer de faire chavirer le bateau conjugal.

Beaucoup d'entre nous faisons ce type de choix sans en être vraiment conscientes, et sans savoir pourquoi. Nous faisons en sorte de ne pas nous rendre compte que nous aimerions aller à ce séminaire sur la colère. Nous évitons d'adopter de nouvelles idées, de nouveaux modes de pensée qui risqueraient de nous mener à des conflits et à des désaccords avec ceux qui comptent dans notre vie. Nous évitons soigneusement de voir que nous nous laissons prendre à une compromission un peu facile. Et lorsque nous renonçons à participer à des mouvements un tant soit peu novateurs, nous ne nous rendons pas compte que nous faisons tout ce qu'il faut pour éviter les vagues et faire régner la paix dans les ménages.

Comment la femme que nous venons d'évoquer aurait-elle réagi à la situation que nous avons décrite? Il est plus que probable qu'elle ne se serait pas battue avec son partenaire, pour la bonne raison qu'il n'y aurait eu aucun motif de bagarre. Elle n'aurait pas envisagé une seconde d'assister à un séminaire sur la colère. En fait, elle aurait soigneusement évité de s'intéresser à toute chose qui aurait été susceptible de constituer une menace pour l'autre ou de déstabiliser le *statu quo*. Et même si elle s'était intéressée au séminaire, elle aurait testé la réaction de son partenaire avant de s'y inscrire. Elle lui aurait dit: «Voilà, j'ai bien envie d'assister à ce séminaire...» Puis elle aurait ouvert bien grands ses yeux et ses oreilles pour ne rien perdre des réactions, formulées ou non. Tout signe de désapprobation, tout indice qui lui aurait fait penser que son partenaire se sentait menacé l'aurait poussée à se raviser immédiatement pour le protéger. Elle se serait dit: «Eh bien! ce séminaire, après tout, n'était peut-être pas si intéressant que cela.» Ou: «Nous sommes un peu justes financièrement.» Ou encore: «De toute façon, je ne me sens pas d'attaque en ce moment.»

De la sorte, elle aurait évité le conflit en accordant ce qu'elle croyait être ses propres souhaits à ceux de son conjoint. Elle aurait défini sa propre identité en fonction de ce que son partenaire pense d'elle. Elle aurait sacrifié la conscience qu'elle a d'elle-même pour se conformer aux désirs et aux attentes de celui-ci. Tout ce processus de dépersonnalisation est complètement inconscient: le résultat est que la femme se sent en parfaite harmonie avec son conjoint. Si elle éprouve des problèmes émotionnels ou physiques, elle ne pense pas à les associer aux sacrifices qu'elle a faits pour protéger l'autre ou maintenir la paix.

Certaines femmes se trouvent dans une situation moins difficile: celles-là se montrent capables d'affirmer leur intérêt pour le séminaire, malgré le risque qu'elles courent à reconnaître qu'elles ne sont pas d'accord avec leur conjoint. Elles prennent conscience de leur autonomie et de leur différence, elles savent que leurs idées ont autant de valeur que celles de leur conjoint. Et pourtant, elles trouvent un moyen pour éviter de faire ressortir les différences qui existent entre elles et leur partenaire et de provoquer sa désapprobation. Elles se disent: «C'est vrai, j'ai envie d'aller à ce séminaire, mais ça va provoquer une telle scène si j'insiste... ça n'en vaut pas la peine.» «*Ça n'en vaut pas la peine*», voilà une phrase qui nous est bien familière, dont nous

nous servons pour nous protéger et pour éviter d'avoir à relever le défi que constitue un changement de comportement! Comme le montre bien la situation de Barbara, le combat en soi n'est pas le vrai problème. Ce qui compte, c'est notre capacité à prendre position dans une relation et à nous comporter de façon cohérente par rapport à nos convictions affirmées.

Les femmes qui se rangent dans cette catégorie des pacificatrices, des «gentilles», ne sont pas des perdantes nées, des mauviettes, des femmes passives. Bien au contraire, elles ont acquis un talent relationnel hors du commun qui exige une sensibilité et une capacité de réflexion étonnantes. Elles excellent à prévoir les réactions des autres, et sont imbattables quand il s'agit de les protéger et de leur éviter tout sentiment de malaise. Ce talent social est malheureusement bien souvent absent chez les hommes. Si seulement les femmes pouvaient apprendre à en tirer parti autrement, à leur profit, et s'en servir pour mieux se connaître!

## Être seul, être ensemble

Il est bien difficile de faire fonctionner une relation à long terme: il faut apprendre à trouver le juste équilibre entre l'individualisme (le «je») et la vie ensemble (le «nous»). Les deux exercent une attraction égale. D'une part, nous voulons être des individus autonomes, indépendants — des êtres autosuffisants, autodépendants; d'autre part, nous recherchons la relation et l'intimité avec l'autre, ainsi qu'un sentiment d'appartenance à une famille ou à un groupe. Quand un couple perd l'équilibre, d'un côté ou de l'autre, les problèmes surgissent.

Que se passe-t-il quand il n'y a pas assez de «nous» dans une relation? On assiste parfois à un «divorce émotionnel». Les deux partenaires finissent par se sentir seuls dans un mariage qui ressemble à une coquille vide, et où ils ne partagent plus ni sentiments personnels ni expériences communes. Quand cette force d'isolement est trop influente, il arrive qu'un des deux partenaires, ou les deux, finisse par dire: «Je n'ai pas besoin de toi» — ce qui ne ressemble guère à la véritable autonomie. Dans la relation, il y aura peu de conflits, mais aussi peu d'intimité.

Que se passe-t-il quand il n'y a pas assez de «je» dans une relation? Nous sacrifions notre identité personnelle et notre sens de la responsabilité et du contrôle sur notre propre vie. Quand la force du «nous» est trop puissante, on consacre trop d'énergie à exister «pour» l'autre, et on s'efforce de le changer. Au lieu d'être responsables de nous-mêmes, nous nous sentons responsables de l'équilibre émotionnel de l'autre, et nous le rendons responsable du nôtre. Une fois que cet échange de responsabilité individuelle est enclenché, chacun des partenaires devient trop sensible à ce que fait et dit l'autre, et il en résulte des disputes et des accusations, comme dans le cas de Barbara.

Cet excès de communauté a parfois une autre conséquence: une pseudo-harmonie du couple. Dans ce cas, il y a peu de conflits ouverts, car le conjoint soumis accepte l'existence de fait du conjoint dominant; parfois, tous deux se comportent comme s'ils avaient le même cerveau, le même sang. Ce besoin de fusion est peut-être universel, mais s'il prend des formes extrêmes, il peut nous rendre terriblement vulnérables. Lorsque deux personnes n'en font qu'une, la séparation peut être vécue comme une mort psychologique ou physique. Dans ce cas, lorsque la relation se termine, il ne nous reste rien — même pas nous-mêmes.

Tous, nous avons besoin d'un «je» et d'un «nous» qui nous enrichissent et donnent un sens à notre vie. Il n'existe pas de formule magique pour déterminer les proportions de chacun: chaque couple a sa proportion idéale, et elle peut changer avec le temps. Chaque membre du couple exerce une certaine maîtrise sur les deux éléments. Automatiquement, inconsciemment, il ajoute ou retranche tour à tour un peu de «je» dans les moments où il sent le danger de la fusion, un peu de «nous» quand il sent le risque de l'isolement. Cet équilibre est sans cesse revu et corrigé, dans tous les couples. Bien souvent, la division du travail reproduit le schéma classique: la femme s'occupe du «nous», l'homme, du «je». Au chapitre III, nous examinerons plus en détail les différents pas de cette danse entre la «femelle qui se rapproche» et le «mâle qui s'éloigne».

Si, dans une relation donnée, nous nous sentons perpétuellement en colère, ou amères, cela peut vouloir dire qu'il nous faut à la fois clarifier et renforcer notre «je». Nous devons alors réexaminer notre propre identité, découvrir ce que nous pensons, ce que nous ressentons, ce que nous désirons et ce que nous voulons changer dans notre vie. Plus notre «je» est bien identifié, clair, plus nous serons capables de jouir aussi bien de l'intimité que de la solitude. Notre intimité ne doit pas nécessairement être une similitude, une unité, une perte du soi; notre solitude ne doit pas nécessairement être un éloignement, un isolement.

Pourquoi le renforcement du «je» est-il une tâche si difficile? Beaucoup d'éléments peuvent l'expliquer, mais si nous nous concentrons sur ici et maintenant, nous voyons que la situation de Barbara illustre bien à quel point le cheminement vers la clarté et l'affirmation de soi peut nous effrayer. Barbara est incapable de renoncer à ses vieilles habitudes et d'en essayer d'autres sans éprouver le sentiment angoissant de l'isolement et sans faire des vagues dans sa relation de couple. Sachant que ceci se produit dans toutes les relations, cela vaut la peine d'y regarder de plus près.

## La clarté et l'angoisse de la perte

Si, dès le départ, Barbara avait eu un «je» plus fort, elle n'aurait pas défini son problème en disant: «Mon conjoint ne veut pas me laisser aller au séminaire.» Elle se serait dit quelque chose qui ressemble à: «Mon problème est le suivant: si j'annule le séminaire, je vais éprouver de l'amertume et de la rancœur. Si j'y vais, c'est mon conjoint qui éprouvera de l'amertume et de la rancœur. Que choisir?» Elle aurait réfléchi, puis elle aurait peut-être décidé que le séminaire n'était pas si important que cela, ou que le moment n'était pas bien choisi pour faire des vagues dans son couple. Elle aurait tout aussi bien pu se dire que le séminaire était quelque chose de vraiment important pour elle, un enjeu non négociable sur lequel elle ne pouvait pas se permettre de faire des concessions. Dans ce dernier cas, elle aurait réfléchi à la meilleure façon de présenter les choses à son conjoint, afin d'éviter autant que possible le rapport de force. Ou bien, elle aurait pu tout simplement lui dire qu'elle y allait. Plus tard, une fois les esprits apaisés, elle aurait pu prendre l'initiative d'une discussion sur la prise de décision à l'intérieur du couple et expliquer que même si elle s'intéressait à ce que pense l'autre, c'était elle qui prenait les décisions la concernant.

Qu'est-ce qui a empêché Barbara de prendre une telle position? Pourquoi certaines d'entre nous finissent-elles par devenir des pinailleuses ou des râleuses chroniques, au lieu d'identifier leurs problèmes, leurs choix et de clarifier leur position? Les femmes n'ont rien à gagner, surtout pas une gratification hypothétique de type masochiste, à jouer les victimes permanentes. Bien au contraire, celle qui se tient du mauvais côté de la balance accumule une rage proportionnelle à sa soumission et à ses sacrifices.

Inconsciemment, nous sommes peut-être convaincues que nos relations les plus importantes ne peuvent résister que si nous restons soumises: voilà le dilemme. Nous sentons confusément que si nous changeons, si nous clarifions nos positions, si nous sommes plus fermes, plus autonomes, si nous commençons à agir par nous-mêmes, cela risque de détruire quelque chose dans la relation, d'humilier ou de menacer notre partenaire, qui, dans ces conditions, pourrait décider soit de se venger, soit de partir. Parfois, l'acquisition d'un «je» plus fort équivaut à regarder en face notre désir profond de sortir d'une relation de couple non satisfaisante; cette situation est tout aussi effrayante que la peur d'être abandonnée.

Peut-être Barbara n'est-elle pas prête à affronter le risque de mettre à l'épreuve son couple, à envisager des changements. Peut-être sait-elle déjà que la relation ne résisterait pas au moindre changement. Peut-être est-elle prise entre deux feux: elle n'est prête ni à se dire: «Je décide de préserver ce mariage raté avec un homme qui ne changera jamais», ni à se montrer plus claire: «Si les choses ne changent pas, je m'en vais.» Ou peut-être Barbara n'est-elle pas disposée encore à faire face à l'angoisse ou à la «drôle de déprime» qui nous touche souvent au moment où nous adoptons une position plus claire et plus autonome dans une relation importante. *Bien souvent, les discussions et les récriminations sont une façon de protester et de protéger un* statu quo *lorsque nous ne sommes pas encore prêtes à bouger dans une direction ou dans une autre.*

## Contre-attaques et réactions retour-arrière

Loin de moi l'idée de suggérer qu'il vaut mieux rester sur le mauvais plateau de la balance de peur que notre partenaire et la relation elle-même ne soient atteints. Dans certains cas, c'est effectivement ce qui se produit une fois que nous avons changé et mûri. Mais plus souvent, et cela dépend en grande partie de notre façon d'agir, l'autre mûrit avec nous et le résultat final est un renforcement du lien émotionnel. Si nous savons renforcer notre propre identité, nous pouvons faire en sorte que cela améliore la relation au lieu de la menacer. Mais ne nous y trompons pas: tout changement est difficile.

Nous sommes souvent confrontées à une réaction de contre-attaque, de retour-arrière de la part de l'autre, chaque fois que nous abandonnons notre silence, notre flou, nos discussions stériles et que nous commençons à nous affirmer de façon claire et à exprimer nos désirs, nos besoins, nos opinions et nos priorités. Murray Bowen, qui a mis au point la théorie des systèmes familiaux, souligne que, dans toutes les familles, on assiste à une forte opposition envers celui qui décide de prendre davantage d'autonomie. Selon Bowen, ce processus d'opposition suit toujours les étapes suivantes:

1. «Tu as tort», et toutes les raisons qui justifient cette affirmation.
2. «Redeviens comme tu étais, et nous t'accepterons à nouveau parmi nous.»
3. «Si tu ne reviens pas en arrière, attention aux conséquences!» avec une liste des conséquences.

Les contre-attaques peuvent être constituées de diverses accusations: nous sommes froides, déloyales, égoïstes, nous ne faisons pas attention aux autres («Comment as-tu pu dire une telle chose à ta mère, tu lui as fait de la peine!»).

Parfois, on nous menace, explicitement ou non, de mettre fin à la relation («Si tu ressens vraiment ce que tu dis, je ne vois pas ce que nous faisons ensemble», «Comment veux-tu qu'on soit bien si tu penses vraiment ce que tu dis là?»). Bref, les contre-attaques peuvent prendre une multitude de formes. Il arrive même qu'on assiste à des manifestations physiques: crises d'asthme ou attaques.

Les contre-attaques sont les tentatives inconscientes de l'autre pour rétablir l'ancien équilibre d'une relation, au moment où l'angoisse de la solitude et du changement devient trop forte. Ce n'est pas seulement l'esprit de domination ou le machisme qui provoque ces attitudes. De toute façon, la question n'est pas là. Les contre-attaques expriment une angoisse, ainsi qu'une affection et une sensibilité.

*Nous devons clarifier nos positions face à ces contre-attaques — il n'est pas question d'essayer de les éviter, ou de dire à l'autre qu'il ne doit pas réagir comme il le fait.* Souvent, nous demandons l'impossible. Nous voulons contrôler non seulement nos propres décisions, nos propres choix, mais aussi la façon dont les autres *réagissent* face à nous. Non seulement nous voulons faire le changement, mais nous voulons que l'autre *approuve* ce changement. Nous voulons à la fois nous affirmer davantage et y être encouragées par ceux qui nous ont choisies pour ce que nous étions avant de changer.

Laissons un moment de côté les contre-attaques. Notre *propre* résistance au changement est une force étonnamment puissante. La position de Barbara à l'intérieur de son mariage, par exemple, trouve peut-être ses racines dans des schémas qui remontent à des générations. Il se peut fort bien que la mère, et les autres ascendantes de Barbara, aient adopté dans leur relation de couple la même position de dépersonnalisation, ou qu'elles se soient «associé» des conjoints dépersonnalisés. Peut-être, dans l'histoire familiale de Barbara, ne trouve-t-on aucun mariage où les *deux* partenaires pouvaient se montrer clairs et compétents en matière de prise de décision sur leur propre vie, et de négociation des différences. Toutes, nous sommes fortement influencées par les schémas et les traditions qui ont affecté les générations précédentes même si — et surtout si — nous n'en sommes pas conscientes. Comme beaucoup de femmes, Barbara se sent peut-être coupable lorsqu'elle demande pour elle-même ce que sa mère n'a pas pu obtenir. Dans les profondeurs de son inconscient, il se peut que Barbara considère ses tentatives d'émancipation comme un acte déloyal — une trahison non seulement vis-à-vis de son conjoint, mais aussi envers les générations de femmes de sa famille. Si tel est le cas, elle résistera inconsciemment aux changements qu'elle veut provoquer.

Enfin, pour compliquer encore davantage la situation, tous les problèmes que nous n'avons pas résolus dans le passé refont immanquablement surface dans la totalité de nos relations présentes. Si Barbara est coincée dans un schéma de conflit conjugal chronique, cela peut signifier que dans sa famille d'origine, elle n'a pas su négocier son autonomie et son indépendance. C'est peut-être dans ce domaine qu'elle doit faire un effort (voir le chapitre IV). Barbara est-elle capable de prendre une position ferme sur des problèmes importants quand elle a affaire à des membres de sa famille d'origine? Est-elle capable de s'affirmer clairement, directement quand il s'agit de ce qu'elle pense et ressent? Est-elle capable d'être elle-même, et non pas ce que les membres de sa famille voudraient qu'elle soit — laisse-t-elle les autres être eux-mêmes? Si Barbara éprouve des difficultés à maintenir un bon contact émotionnel avec sa famille d'origine, et à se définir en tant que personne indépendante par rapport à celle-ci, il n'est pas étonnant qu'elle ne puisse pas le faire non plus à l'intérieur de son couple. En tant que psychothérapeute, je suis souvent amenée à aider des femmes à clarifier et à changer leurs relations avec leurs frères et sœurs, leurs parents et leurs grands-parents, afin d'éviter que les anciens schémas familiaux de conflit ne se reproduisent, que les vieilles angoisses et les vieilles colères ne resurgissent dans une autre relation importante alors qu'elles n'avaient pas été exprimées au bon moment.

## Où en sommes-nous?

Le coup de téléphone de Barbara nous a donné un excellent exemple d'une discussion inutile qui n'engendre aucun changement: elle a fait deux choses que nous faisons toutes quand nous nous sentons coincées et quand nous avons l'impression de faire du sur-place. Elle a commencé par s'attaquer à un faux problème. Puis elle a consacré toute son énergie à essayer de changer l'autre.

## Les faux problèmes

Barbara et son conjoint ont consacré beaucoup d'énergie à discuter de la valeur de mon séminaire, chose qui, comme beaucoup d'autres, n'est après tout qu'une affaire d'opinion personnelle. C'était un faux problème. Cela n'avait rien à voir avec le véritable problème de Barbara, qui concerne en réalité la lutte qu'elle mène entre son désir de prendre des décisions responsables pour sa propre vie et son souhait de préserver une certaine communauté dans son couple, et de protéger le *statu quo*.

Tous les couples se battent à propos de faux problèmes, et il arrive qu'ils le fassent avec l'énergie du désespoir. Jamais je n'oublierai le premier couple que j'ai rencontré lors d'une séance de thérapie conjugale. Ils étaient là, assis dans mon bureau, à se disputer âprement sur la question de savoir s'ils allaient dîner chez McDonald ou dans un restaurant où l'on sert du poisson. J'avais devant moi deux personnes intelligentes: toutes deux avançaient les arguments les plus convaincants sur les mérites respectifs du hamburger et du filet de sole, et aucune ne cédait d'un pouce. C'étaient mes tout débuts, et je ne savais trop comment leur venir en aide. Je n'étais sûre que d'une chose: la dispute passionnée à laquelle j'assistais entre ces deux êtres qui, à l'évidence, éprouvaient de grandes difficultés, n'avait rien à voir avec les hamburgers et les filets de sole!

Il n'est pas facile d'identifier les *vrais* problèmes, surtout lorsqu'il s'agit de membres d'une même famille. Lorsque deux adultes sont en conflit, il leur arrive souvent de faire intervenir un tiers (un enfant, un beau-parent par exemple). On a alors affaire à un triangle, ce qui rend encore plus difficile pour les deux adultes d'identifier et de résoudre leurs problèmes. Voici quelques exemples:

Une femme dit à son conjoint: «Je t'en veux terriblement de t'occuper si peu de ton fils. J'ai l'impression qu'il n'a pas de père.» Le vrai problème pourrait s'exprimer ainsi: «Je me sens négligée, je t'en veux de passer si peu de temps avec moi.»

Un homme dit à sa conjointe, qui envisage de prendre un nouvel emploi: «Les enfants ont besoin de toi. Je suis d'accord pour que tu travailles, mais je ne veux pas que les enfants et la maison en pâtissent.» Le vrai problème pourrait s'exprimer ainsi: «J'ai peur, je n'aime pas l'idée de ce changement. Je ne sais pas comment ton travail va influer sur notre relation, et ton enthousiasme me fait penser à ma propre insatisfaction professionnelle.»

Une autre femme dit à son conjoint: «Ta mère me rend folle. Elle est indiscrète, elle se mêle de tout, elle te traite comme si tu étais à la fois son conjoint et son petit garçon.» Le vrai problème pourrait s'exprimer ainsi: «J'aimerais que tu sois capable d'être plus ferme avec ta mère, et que tu lui imposes des limites. Il m'arrive de me demander laquelle de nous deux compte le plus pour toi.»

Quand nous examinerons le système du triangle (chapitre VIII), nous verrons qu'il est bien difficile non seulement de savoir pourquoi nous sommes en colère, mais aussi après qui.

## Essayer de changer l'autre

Barbara, comme la plupart d'entre nous, a mis toute son énergie-colère au service d'un désir de changement de l'autre. Elle essaie de modifier l'opinion de son conjoint sur le séminaire, et ses réactions à sa décision. Elle veut son approbation, elle veut qu'il veuille qu'elle y aille! En bref, elle voudrait qu'il soit du même avis qu'elle. Bien sûr, nous sommes toutes plus ou moins persuadées de détenir une parcelle de vérité, et que le monde se porterait mieux si les autres avaient les mêmes opinions et les mêmes réactions que nous. La maturité émotionnelle se reconnaît à un signe bien caractéristique: nous savons reconnaître l'existence de multiples réalités, et comprendre que les autres peuvent penser, ressentir les choses et réagir de façon différente. Souvent, nous assimilons l'intimité avec la similitude. Les couples mariés et les membres d'une même famille ont tout particulièrement tendance à se comporter comme s'il n'existait qu'une seule vérité qui devrait être reconnue par tous.

Il est extrêmement difficile d'assimiler, émotionnellement et intellectuellement, l'idée que nous avons le droit de tout penser et de tout ressentir. Nous avons le devoir d'affirmer nos opinions et nos sentiments de façon claire, et de prendre des décisions responsables et cohérentes par rapport à nos valeurs et à nos croyances. Nous n'avons pas le devoir d'influencer l'autre pour qu'il pense et ressente la même chose que nous. Si nous le faisons, nous nous retrouvons dans une relation toute faite de désespoir et d'intensité émotionnelle négative inutiles, et qui ne changent rien.

Ce n'est pas qu'il soit répréhensible de *vouloir* changer quelqu'un. Le problème, c'est que ça ne marche pas. Même si nous savons à la perfection gérer notre colère, nous ne pourrons jamais être sûres que l'autre fera ce que nous voulons qu'il fasse, ou qu'il verra les choses comme nous. Jamais nous ne pourrons être sûres que justice sera faite. Nous ne sommes prêtes à abandonner les discussions inutiles qu'au moment où nous abandonnons notre désir fantasmatique de changer ou de contrôler l'autre. Ce n'est qu'à ce stade que nous devenons capables de revendiquer le pouvoir qui nous revient de droit — le pouvoir de nous changer nous-mêmes et de nous comporter de façon différente dans notre propre vie.

Dans les chapitres qui viennent, nous tirerons les enseignements que nous a appris la conversation téléphonique de Barbara. Quels sont-ils?

En premier lieu, nous avons appris que bien souvent, laisser éclater sa colère ne servait pas à grand-chose. L'expression débridée de la colère a tendance à protéger les vieux schémas relationnels plutôt que de les remettre en question. En deuxième lieu, nous savons maintenant que nous ne pouvons changer et contrôler que nous-mêmes. En troisième lieu, nous avons compris que le fait de changer soi-même peut constituer une menace et une difficulté telles qu'il est souvent plus facile de retomber dans les anciens schémas de mutisme ou de discussion inutile. Enfin, nous savons maintenant que c'est la dépersonnalisation qui est au cœur de nos problèmes de colère les plus graves.

## CHAPITRE III

# Quand les couples dansent en rond

## *Les colères qui ne mènent à rien*

Six mois après la naissance de mon premier fils, j'étais en vacances en famille à Berkeley, en Californie. En fouinant dans une boutique de livres d'occasion, je tombai sur un livre écrit par un grand spécialiste du développement de l'enfant. Je me mis à le feuilleter, et j'eus un petit pincement de cœur quand je m'aperçus que mon bébé ne faisait pas les choses qu'il était censé faire à son âge. «Mon Dieu, me dis-je, mon enfant est en retard!» Puis je repensai à tous les problèmes que j'avais eus pendant ma grossesse, et mon cœur se glaça. Mon bébé était-il anormal?

Plus tard le même jour, quand je retrouvai mon conjoint Steve, je lui fis part de mes angoisses. Il réagit avec une indifférence peu habituelle. «Ne t'en fais donc pas, me dit-il d'un ton insouciant. Chaque bébé suit son propre rythme. Tout va bien.» Sa réaction (que je perçus comme une volonté de me faire taire) ne fit que me bouleverser un peu plus. Je réagis en essayant de démontrer que j'avais raison. Je lui décrivis en détail ce que j'avais lu, et je lui rappelai ma grossesse difficile. Il m'accusa d'exagérer le problème et de me faire du souci pour rien. *Tout allait bien.* Je l'accusai à mon tour de nier le problème et de le minimiser. Après tout, *peut-être* que quelque chose n'allait pas. Il me rappela froidement que déjà ma mère avait tendance à se faire du souci pour rien, et que, visiblement, je suivais sa trace. Je me mis en colère et lui répondis que dans sa famille, effectivement, il était interdit de se faire du souci, puisque tous les problèmes passaient inaperçus. Et nous continuâmes ainsi un bon moment.

Nous rejouâmes la *même* dispute, sous la *même* forme, un nombre incalculable de fois pendant les six mois qui suivirent. Pendant ce temps, notre fils continuait consciencieusement à *ne pas* faire ce que le livre préconisait. La psychologue qui lui fit passer des tests à l'âge de neuf mois (sur mon initiative) nous dit qu'il était effectivement plutôt lent dans certains domaines, mais qu'il était trop tôt pour en conclure quoi que ce soit. Elle nous suggéra d'attendre un peu, puis de consulter un pédiatre spécialisé en neurologie si cela persistait.

Steve et moi nous entêtions de plus en plus chacun dans nos points de vue respectifs, et nos disputes devenaient de plus en plus fréquentes. Comme des robots, nous reprenions inlassablement les mêmes positions, et nous suivions scrupuleusement le même scénario: plus je me montrais soucieuse et angoissée, plus Steve prenait de la distance et minimisait le problème; plus il prenait de la distance et minimisait le problème, plus j'accentuais ma propre attitude. Ce scénario suivait une pente ascendante, et, quand cela devenait intolérable, chacun de nous, désignant l'autre du doigt, l'accusait d'avoir commencé.

Nous étions bloqués. C'était comme si toutes ces années de formation en psychologie et d'études sérieuses n'avaient pas existé. Il était clair que toute action de notre part suscitait chez l'autre une réaction encore plus véhémente. Et pourtant, d'une certaine façon, nous étions tous les deux incapables d'agir différemment.

«Votre bébé va très bien», nous dit froidement un pédiatre célèbre, spécialiste en neurologie. À l'époque, notre fils avait presque un an. «Son schéma de développement est un peu aty-pique. Mais vous savez, beaucoup de bébés ne commencent à agir qu'au moment où ils marchent.» Notre fils se mit à marcher (juste à l'âge qu'il fallait) sans être passé par l'étape dite ram-pante, sans avoir marché à quatre pattes ou adopté quelque autre forme de locomotion. Alors nos disputes chroniques prirent fin.

Plus tard, nous fûmes capables de discerner les bénéfices inconscients que nous tirions des bagarres que nous entrete-nions. Nous bagarrer nous aidait tous les deux à moins penser à notre fils, et détournait notre attention des autres problèmes que nous posait le fait d'être de nouveaux parents. Le plus im-pressionnant était notre degré de blocage irrémédiable. Tous les deux, nous nous comportions comme s'il n'existait qu'une seule méthode juste pour réagir à une situation familiale porteuse de stress, et nous nous étions engagés dans une danse où chacun s'efforçait de forcer *l'autre* à modifier ses pas sans vouloir modi-fier les siens. Résultat: rien ne changeait.

## Blocage — Déblocage

Comment se produit le blocage dans un couple? L'incapa-cité à exprimer la colère n'est pas toujours le cœur du problème. Beaucoup de femmes, comme moi, se mettent facilement en co-lère et n'ont aucun problème à le montrer. Le problème est que, bien souvent, se mettre en colère ne nous mène nulle part, quand cela n'aggrave pas les choses.

Si la façon dont nous traitons notre colère ne nous mène pas au résultat escompté, il semblerait logique que nous ten-tions autre chose. Dans ce cas précis, j'avais de multiples choix pour modifier mon attitude envers Steve. Je voyais bien que l'angoisse qu'exprimait mon souci pour le bébé ne faisait que provoquer un refus qui, à son tour, engendrait chez moi un autre souci. Par exemple, j'aurais pu confier mes angoisses à une amie, pendant quelques semaines, et cesser d'en parler à Steve. Peut-être alors Steve aurait-il eu le temps d'éprouver ses propres angoisses. Ou bien j'aurais pu me rapprocher de lui dans un moment d'intimité, et lui faire part de mes frayeurs à propos du bébé, lui dire combien c'était difficile pour moi, et que je voulais pouvoir compter sur son aide et sa solidarité. Une telle approche aurait été bien différente de mon comportement habituel, qui consistait à ne parler qu'au moment où l'angoisse devenait très forte, et à dire que Steve était en tort car il ne réagissait pas comme moi. Pour Steve aussi, il aurait été facile de changer le scénario en se comportant différemment. Par exemple, *il* aurait pu prendre l'initiative d'une conversation sur le sujet qui nous occupait tous les deux.

Intellectuellement, nous savons que lorsque nous renouvelons des efforts infructueux, nous n'arrivons à rien et même parfois ne faisons qu'aggraver la situation. Et pourtant, curieusement, nous *persistons* dans nos comportements, surtout lorsque nous sommes sous l'influence du stress. Par exemple, une épouse qui a l'habitude de morigéner son conjoint sur son régime alimentaire insiste encore plus quand celui-ci mange trop. Une femme dont l'amant s'éloigne au moment où elle le presse d'exprimer ses sentiments le pressera encore plus; son problème n'est pas qu'elle ne soit pas capable de se mettre en colère, mais que la façon dont elle exprime sa colère ne fonctionne pas; et malgré cela, elle persiste.

Même des rats pris dans un labyrinthe savent modifier leur comportement s'ils se heurtent de façon répétée à une impasse. Alors, pourquoi ne sommes-nous même pas capables de nous comporter aussi intelligemment que des animaux de laboratoire? La réponse est évidente. Lorsque nous répétons les mêmes disputes, nous nous protégeons des angoisses qui nous guettent si nous décidons de changer. Les disputes inutiles nous permettent d'arrêter la pendule quand nos efforts pour être plus claires deviennent trop menaçants. Parfois, nous nous installons dans un blocage car nous attendons de nous sentir assez en confiance pour pouvoir nous débloquer en toute sécurité.

Parfois, néanmoins, même quand nous sommes prêts à changer, nous continuons dans nos vieux schémas. La nature humaine est ainsi faite que quand nous sommes en colère, nous avons tendance à réagir émotionnellement tellement fort à ce que nous fait l'autre que nous perdons notre aptitude à observer le rôle que nous-mêmes jouons dans l'interaction. L'auto-observation, ce n'est pas la culpabilisation, domaine dans lequel beaucoup de femmes sont expertes. L'auto-observation, c'est être capable de voir les interactions entre nous et les autres, de reconnaître que les comportements des autres vis-à-vis de nous sont directement liés à notre comportement vis-à-vis d'eux. S'il est impossible de forcer l'autre à être différent, en revanche, si nous modifions nos propres pas, alors la danse change automatiquement.

L'histoire de Sandra et Laurent, un couple venu chercher de l'aide auprès de moi, parle justement de déblocage. Même si le *contenu* de leurs disputes ne vous rappelle rien, vous verrez que la *forme* de leur danse est presque universelle. Ce couple, comme beaucoup d'autres, s'était retrouvé bloqué dans une danse circulaire où le comportement de chacun servait à maintenir et à provoquer celui de l'autre. Une fois que l'on fait partie d'un couple — marié ou non, homosexuel ou hétérosexuel — il est facile de se faire piéger. Quand cela se produit, plus chacun s'efforce de changer les choses, plus les choses restent comme elles sont.

## Sandra et Laurent

— Comment chacun de vous décrirait-il le problème qui affecte votre mariage? demandai-je.

C'était la première fois que je rencontrais Sandra et Laurent. C'était Sandra qui avait pris l'initiative de consulter un conseiller conjugal. Je regardai Laurent, puis Sandra, et tous deux répondirent à mon invite. Elle se tourna vers moi et mit ses deux mains autour de son visage. De la sorte, elles lui servaient d'œillères et éliminaient son conjoint de son champ de vision.

Avec une expression de colère non dissimulée, Sandra énuméra ses griefs. À l'évidence, elle avait déjà raconté son histoire, et elle était persuadée que le «problème» venait de Laurent.

— Pour commencer, c'est un bourreau de travail, dit-elle. Il me néglige, et les enfants aussi. Je crois qu'il est devenu incapable d'avoir une quelconque relation avec nous. Il est devenu étranger à sa propre famille.

Sandra fit une pause, prit une grande inspiration, et poursuivit.

— Il se comporte comme s'il voulait que je m'occupe de la maison et des enfants toute seule; et quand je réagis mal, il me dit que je suis folle, que je suis trop sensible. Il n'est pas disponible, il ne montre jamais aucune réaction émotionnelle à des choses qui devraient le toucher.

— Quand Laurent rentre le soir et que quelque chose qui s'est passé dans la journée vous cause du souci, comment faites-vous pour solliciter son aide et sa compréhension? demandai-je.

— Je lui dis que ça ne va pas du tout, que je me fais du souci pour notre situation financière, que David est malade, que je n'ai pas pu aller à mon cours, et que le bébé a été infernal. Alors il me regarde et me fait remarquer que le repas n'est pas prêt, ou bien il me dit que je réagis trop violemment. Il passe sa vie à me répéter: «Tu es vraiment trop sensible! Un rien te bouleverse.» Et ça me donne envie de crier!

Sandra se tut, Laurent ne disait rien. Quelques minutes plus tard, Sandra continua. Sa colère était mêlée de larmes.

— Je n'en peux plus d'être la dernière sur sa liste de priorités. Jamais, ou presque, il ne fait un pas vers moi, et en plus il néglige les enfants. Mais quand il décide qu'il faut qu'il agisse comme un père, il se comporte comme s'il était seul maître à bord.

— Pouvez-vous me donner un exemple, demandai-je.

— Eh bien! il emmène Geneviève, notre fille aînée, se promener et il lui achète cette coiffeuse hors de prix dont elle a envie, sans même me demander mon avis! Il me met devant le fait accompli.

À ce stade, Sandra jette un œil noir à Laurent, qui refuse de croiser son regard.

— Quand Laurent fait une chose avec laquelle vous n'êtes pas d'accord, la coiffeuse par exemple, comment le lui faites-vous comprendre?

— C'est tout simplement impossible! dit Sandra sur un ton dramatique. Impossible!

— *Qu'est-ce* qui est impossible? insistai-je.

— De lui parler! De l'obliger à parler! Il ne parle jamais de ses sentiments. Il ne sait même pas discuter des problèmes. Il ne réagit jamais. Il se ferme et demande qu'on le laisse tranquille. Il n'est même pas capable de se disputer. Ou bien il sort ses raisonnements, ou bien il refuse de parler, tout bonnement. Il préfère prendre un livre ou allumer la télévision.

— D'accord, dis-je. Il me semble que je comprends comment vous voyez le problème.

C'était maintenant au tour de Laurent.

— Laurent, comment décririez-vous le problème?

Laurent se mit à parler sur un ton calme et décidé qui parvenait presque à masquer sa colère envers sa femme.

— Sandra ne me stimule pas, elle ne donne pas, elle est toujours sur mon dos. Voilà le problème.

Laurent se tut, comme s'il avait terminé.

— Pouvez-vous me donner un exemple de ce que vous dites?

— C'est difficile. Elle me sape le moral. Ou alors je rentre à 18 h, je suis fatigué, j'ai envie de calme, de silence, et tout ce qu'elle sait faire, c'est commencer à piailler, à geindre sur les problèmes des enfants, les siens, elle se plaint toujours quelle que soit la raison. Si je m'assois cinq minutes pour me reposer, elle me tombe dessus pour discuter d'un problème vital — par exemple du vide-ordures qui est bouché.

Laurent était en colère, mais il adoptait le même ton que s'il avait été en train de parler de l'indice Dow Jones.

— Vous voulez dire qu'il vous faut un peu d'espace? lui demandai-je.

— Non, ce n'est pas vraiment ça, répondit-il. Ce que je veux dire, c'est que Sandra prend tout trop à cœur. Elle est vraiment hypersensible. Elle crée des problèmes même quand il n'y en a pas. Tout est un cas de force majeure. Enfin, en fait, vous avez raison: j'ai besoin d'espace.

— Et les enfants? Est-ce…

Laurent ne me laissa pas terminer ma phrase.

— Sandra est vraiment une mère poule, m'expliqua-t-il scrupuleusement, comme un médecin décrivant un cas pathologique pendant une conférence. Elle se fait beaucoup trop de souci pour les enfants. Cela lui vient de sa mère. Si vous voyiez sa mère, vous comprendriez mieux.

— Et vous, vous faites-vous du souci pour les enfants? demandai-je.

— Seulement quand c'est justifié. Pour Sandra, c'est un travail à temps plein.

Aussi curieux que cela puisse paraître à la lecture de cette conversation, Sandra et Laurent s'aimaient profondément. À notre première rencontre, néanmoins, ils n'avaient apparemment qu'une chose en commun: l'accusation de l'autre. Comme dans beaucoup de couples, chaque époux considérait que le problème conjugal venait exclusivement de l'autre, et chacun avait le même but en consultant un conseiller: faire en sorte que *l'autre* aille mieux, qu'il change.

Regardons d'un peu plus près l'histoire de Sandra et Laurent, car elle est riche en enseignements. Si les couples sont différents dans leur façon de se présenter, leurs blocages sont bien souvent les mêmes.

«Il ne réagit pas!»
«Elle est vraiment trop sensible!»

Cela vous dit quelque chose? Les principaux reproches de Sandra et Laurent sont familiers à beaucoup de couples. Le manque de sensibilité, de disponibilité, la distance sont les causes principales de la colère de Sandra: «Mon conjoint évite la discussion et n'est pas capable de partager ses sentiments profonds.» «Il ressemble à une machine.» «Il ne veut jamais que l'on parle des problèmes.» «Il s'investit davantage dans son travail que dans sa famille.» Ce n'est certes pas une coïncidence si les griefs des femmes sont directement liés à ceux des hommes: «Ma femme est trop sensible.» «Elle se laisse dominer trop facilement par ses sentiments, elle n'est pas rationnelle.» «Si seulement elle pouvait se taire un peu, cesser de me harceler et de se plaindre.» «Avec ma femme, on pourrait discuter jusqu'à ce que mort s'ensuive.»

Bien souvent, les qualités même qui ont attiré l'autre au début de la relation sont celles qu'il lui reproche au moment de la crise. Prenons l'exemple de Sandra: ce qui l'avait attirée chez Laurent, c'était son tempérament ordonné, stable; quant à Laurent, ce qui l'avait séduit chez Sandra, c'était sa sensibilité et sa spontanéité. Sa vision du monde plus sensible, plus émotionnelle équilibrait sa propre attitude plus réservée, plus logique, plus distante, et vice versa. L'attraction des extrêmes, en quelque sorte.

Il est vrai que les extrêmes s'attirent; le problème est que le bonheur ne dure pas toujours. D'un côté, il est rassurant de vivre avec quelqu'un qui est capable d'exprimer certains aspects de sa propre identité qu'on a peur de reconnaître; mais de tels arrangements se paient inévitablement. La femme qui exprime ses sentiments non seulement pour elle-même, mais aussi à la place de son conjoint, finit inéluctablement par se comporter de façon «hystérique» ou «irrationnelle». L'homme qui compte sur sa femme pour assumer toute la partie émotionnelle de sa vie finit par perdre le contact avec une partie fondamentale de lui-même, et quand le moment est venu de puiser dans son capital émotionnel, celui-ci est à sec.

Dans la plupart des couples, quand il s'agit de la vie émotionnelle, c'est l'homme qui occupe le plateau inférieur de la balance. Qui ne connaît pas d'homme capable de réparer n'importe quoi dans la maison, y compris la voiture, mais incapable de se rendre compte que sa femme est déprimée? Souvent, l'homme n'a que très peu de relations émotionnelles avec sa propre famille; il n'a même pas un ami véritable à qui il pourrait se confier en toute sincérité. Voilà le type de «virilité» que notre société a engendré — l'homme se sent à l'aise dans le monde des objets et des concepts, mais il a du mal à entretenir avec les autres des relations chaleureuses, à être à l'écoute de ce qu'il ressent, et rechigne à toute analyse au moment où une relation prend des aspects conflictuels ou angoissants. La division traditionnelle des tâches encourage les hommes à acquérir une sorte d'intelligence, mais malheureusement ceux-ci passent à côté d'un autre type d'intelligence tout aussi important. La plupart des hommes sont dans un état de *sous-fonctionnement* quand il s'agit des émotions, et ce sous-fonctionnement est directement lié au fait que dans ce domaine, les femmes *sur-fonctionnent*. Ce n'est pas un hasard si les femmes «hystériques», trop sensibles, vivent avec des hommes «handicapés de l'émotion» et «distants».

L'équilibre de la balance conjugale est bien difficile à conserver. Quand les couples s'y efforcent, surtout en situation de stress, les solutions qu'ils adoptent ne font bien souvent qu'aggraver le problème. Une femme sensible, émotive, qui harcèle son conjoint pour qu'il se confie et qu'il exprime ses sentiments le verra devenir encore plus distant, encore moins disponible. Le conjoint intellectuel, distant, qui s'efforce, calmement, d'utiliser la logique pour apaiser sa femme trop sensible la verra devenir encore plus perturbée. Conformément au modèle classique, chaque partenaire continue à agir *de la même façon* et à s'efforcer de changer l'autre. Ainsi, ce qu'on croyait être la solution *devient* le problème lui-même.

## Sandra fait le travail émotionnel de Laurent

Depuis longtemps, Sandra est furieuse parce qu'à son avis, Laurent ne réagit pas assez. Elle ne se rend pas compte qu'elle joue un rôle dans cette danse circulaire. Elle ne comprend pas que sa propre compétence et sa propre propension à exprimer ses sentiments n'ont fait que décharger Laurent de son rôle émotionnel en lui évitant d'avoir à éprouver ce que sans elle il éprouverait. En fait, elle lui vole son travail. Il est vrai que depuis longtemps, le «travail» émotionnel, comme le travail ménager, est considéré comme faisant partie des attributions féminines. Les femmes, d'ailleurs, y excellent. Mais comme pour les tâches ménagères, les hommes ne s'y mettront pas tant que les femmes n'auront pas cessé de les faire à leur place.

Ce n'était certes pas l'intention de Sandra, et pourtant elle a aidé Laurent à préserver sa stabilité, son manque de sensibilité en en faisant plus que sa part. Dans ce couple, il existe un contrat tacite qui stipule que Sandra est celle qui réagit émotionnellement, et Laurent celui qui fait des projets rationnels. Sandra, donc, réagit à la place de Laurent. Elle ne se contente pas de le faire vis-à-vis de problèmes familiaux qui les concernent tous les deux, mais aussi vis-à-vis de problèmes qui appartiennent en propre à Laurent. Voici deux exemples qui illustrent bien cette situation.

### Une injustice professionnelle

Un soir, Laurent rentre chez lui et dit à Sandra qu'un de ses collègues s'était vu féliciter pour une idée que lui, Laurent, avait eue. Il raconte les détails de l'incident. Au fur et à mesure, Sandra éprouve et exprime de plus en plus de colère face à l'injustice de la situation. Plus cela avance, plus elle remarque que Laurent devient, lui, de plus en plus calme et indifférent. «Ça ne te révolte pas? lui dit-elle. C'est de ta vie qu'il s'agit, pourtant! On dirait que ça ne t'affecte pas!»

Bien sûr que si! Il s'agit de sa carrière, et c'est lui qui est victime d'une injustice. Mais son style de réaction, son rythme, son *timing* sont différents de ceux de sa femme. En outre, Laurent laisse Sandra réagir *pour* lui. Sa réaction émotionnelle immédiate lui tire une épine du pied. Plus besoin de se mettre en colère puisque c'est Sandra qui fait tout le travail! Plus Sandra exprime son émotion, plus Laurent se replie sur lui-même.

Sandra a beau ressentir, consciemment, de la colère et de la frustration devant l'apparente indifférence de Laurent, inconsciemment, elle l'aide à conserver sa position calme, forte, typiquement masculine. En le critiquant parce qu'il n'exprime pas ses sentiments et ne montre pas le degré de révolte adéquat, elle adopte une solution qui ne fait qu'aggraver le problème dont elle se plaint. Sandra ne peut pas *faire en sorte* que Laurent réagisse différemment. En revanche, elle peut agir différemment elle-même. Quand Sandra cessa de faire tout le travail émotionnel à la place de Laurent, la danse circulaire fut interrompue.

Ce ne fut pas facile pour Sandra de modifier son comportement, mais elle finit par réussir. Un peu plus tard, Laurent eut des problèmes professionnels, et il les raconta à Sandra, qui se contenta d'écouter calmement, en silence. Elle se garda d'exprimer les sentiments qui en principe auraient dû venir de Laurent, elle n'offrit pas de solutions au problème qui n'était pas le sien. Laurent, ayant ainsi acquis le temps et l'espace dont il avait besoin, finit par réagir à son propre problème et à affronter son dilemme personnel. Alors, il se mit à déprimer. Mais, alors que cette réaction était celle-là même que Sandra, ouvertement, désirait et recherchait («ce monstre d'indifférence ne réagit à rien»), Sandra se rendit compte qu'elle ne se sentait pas à l'aise devant un conjoint vulnérable et en situation de conflit. Elle comprit, à sa grande surprise, qu'une partie d'elle-même voulait que Laurent conserve son personnage de partenaire calme, robuste et intouchable.

## Les parents de Laurent

Sandra joua aussi un rôle pour empêcher Laurent de discerner la colère qu'il éprouvait envers ses propres parents. Pour ce faire, elle les critiquait et les incendiait *à la place* de Laurent. Pour ce dernier, la tâche devenait plus facile: il ne lui restait plus qu'à prendre leur défense.

Ce processus s'enclencha à la naissance du premier enfant. Les parents riches de Laurent passaient cette année-là à Paris. À la naissance de leur petite-fille, ils n'exprimèrent ni enthousiasme, ni désir de la voir. Sandra, outrée, réagit en disant à Laurent que ces gens-là était froids, égoïstes, et qu'ils ne pensaient qu'à eux. Des années plus tard, elle évoquait cette attitude avec une grande violence, mais toujours devant Laurent, jamais devant ses parents.

Que fit Laurent? Il trouva des excuses à ses parents, inventa des justifications logiques à leur comportement, ce qui ne fit qu'aggraver la colère de Sandra. Encore une danse circulaire dans laquelle le comportement de chacun pousse l'autre à persister dans son attitude. Plus Sandra critiquait ses beaux-parents devant Laurent, plus celui-ci prenait leur défense, et plus elle devenait hostile.

Au fond de son cœur, naturellement, Laurent était beaucoup plus affecté que Sandra par l'attitude de ses parents. Après tout, c'étaient ses parents *à lui*. Mais comme Sandra s'empressait de faire tout le travail émotionnel à sa place, Laurent ne put que faire preuve de loyauté envers *ses* parents pour les défendre des attaques de sa femme.

L'obsession de Sandra sur le comportement de Laurent envers ses parents à lui, et non pas sur sa propre relation avec ses beaux-parents, compliqua le problème et la solution. En fait, elle ne faisait que masquer son propre besoin de changement.

Les parents de Laurent sont de grands voyageurs. Ils venaient voir leur fils et Sandra une fois par an. Cette visite annuelle était organisée par le père de Laurent qui, chaque fois, écrivait pour préciser la date et la durée de leur séjour. Le fait qu'on ne leur demande jamais leur avis était une source d'agacement considérable pour Sandra. Elle pressait Laurent de poser le problème à ses parents, mais il refusait. Sandra se mettait alors en colère, commençait à le critiquer, et, comme on pouvait le prévoir, Laurent se mettait du côté de ses parents, avançant des arguments logiques qui expliquaient pourquoi ses parents avaient besoin de planifier ainsi leurs visites.

Sandra ne savait plus que faire, et on la comprend. Elle avait essayé de pousser Laurent à agir, et cela ne marchait pas. En plus, elle faisait tout le travail émotionnel à sa place. Quelque peu désespérée, elle modifia ces deux comportements.

À un moment donné, Sandra comprit que si le comportement des parents de Laurent la dérangeait, c'était à elle de résoudre le problème. C'est ce qu'elle fit. Elle écrivit une lettre, ni agressive ni accusatrice, dans laquelle elle expliquait à ses beaux-parents qu'elle souhaitait qu'on la consulte avant de déterminer une date qui convienne à tous. Elle précisa sa position fermement, mais clairement et directement, et ne recula pas quand ses beaux-parents commencèrent par réagir en se mettant sur la défensive. À sa grande surprise, sa vieille colère contre ses beaux-parents commença à se dissiper au fur et à mesure qu'elle acquérait suffisamment de confiance pour exprimer clairement les problèmes qui la troublaient. Elle fut encore plus surprise lorsque les parents de Laurent finirent par réagir positivement et affectueusement et par la remercier de sa sincérité. Sandra avait franchi la première étape: dorénavant, elle réglerait elle-même tous ses problèmes avec ses beaux-parents, et, en même temps, établirait avec eux une relation plus directe, plus personnelle.

Laurent, se sentant menacé par la nouvelle fermeté de sa femme, commença par refuser l'idée même qu'elle puisse écrire une telle lettre. À sa manière bien à lui, il lui opposa une bonne douzaine d'arguments bien pensés pour expliquer son désaccord. Mais Sandra, bien décidée à changer les choses, refusa de répondre et de commencer à discuter, car elle savait que ce genre de dispute ne mène à rien. Au lieu de cela, elle lui expliqua que bien qu'elle respectât son point de vue, elle devait maintenant décider elle-même de la manière et du moment où elle devait résoudre les problèmes qui lui tenaient à cœur.

Quand Laurent se rendit compte que Sandra persistait à affronter elle-même tous les problèmes que lui posaient ses beaux-parents, sans les agresser ni les critiquer, ce qui était prévisible arriva. Ses propres conflits non résolus avec ses parents resurgirent au grand jour. Sandra ne se plaignait plus à Laurent de ses parents: elle résolvait ses problèmes toute seule. Laurent réagit à cette nouvelle situation en s'apercevant qu'il était temps qu'il résolve ses problèmes à lui.

Quand une femme exprime sa colère de façon inefficace — et c'était le cas de Sandra — ou l'exprime de façon trop émotionnelle, elle ne menace *pas* l'homme. En réalité, elle l'aide à conserver son flegme masculin, et elle-même est perçue comme infantile ou irrationnelle. Quand une femme clarifie les problèmes et utilise sa colère pour s'acheminer vers quelque chose de nouveau et de différent, le changement se produit. Si elle cesse de *sur-fonctionner* à la place des autres et commence à agir pour elle-même, son partenaire *sous-fonctionnant* a de bonnes chances de reconnaître et de traiter ses propres angoisses.

## Le jeu de l'accusation

Sandra et Laurent ont consacré énormément d'énergie à s'accuser mutuellement lors de leurs disputes sans fin. Comme beaucoup d'entre nous, ils cherchaient le responsable en se demandant qui avait commencé. C'est un jeu fréquent dans tous les couples.

Prenons l'exemple d'une femme «râleuse» et d'un conjoint distant, replié sur lui-même. Plus il se replie, plus elle râle; plus elle râle, plus il se replie, etc. À qui la faute?

«Je sais! répondront certains. C'est sa faute à elle. Elle *commence* par râler et par le harceler pour toutes sortes de raisons, et *ensuite*, le pauvre type se replie sur lui-même.»

«Non! rétorqueront d'autres. Vous n'avez rien compris. C'est sa faute à lui. Il *commence* par se réfugier dans son travail et par ignorer sa famille, et *ensuite* sa femme s'en prend à lui.»

C'est le jeu de «qui a commencé?»; on recherche le début d'un processus afin de déterminer lequel des deux est responsable du comportement des deux. Mais nous savons que ce type d'interaction est en réalité une danse circulaire dans laquelle le comportement de l'un ne fait que maintenir et provoquer le comportement de l'autre. La danse circulaire n'a ni début ni fin.

En dernière analyse, cela importe peu. Ce qui compte, c'est de savoir comment en sortir.

Il existe une bonne méthode pour cela: reconnaître le rôle que nous jouons pour maintenir et provoquer le comportement de l'autre. Même si nous sommes persuadés que l'autre est à 97 p. 100 responsable, il nous reste 3 p. 100 de responsabilité. Reste à savoir comment nous allons changer *nos* propres habitudes. Ce qui ne signifie pas que nous n'ayons aucune raison d'en vouloir à l'autre, ni que les rôles sexuels traditionnels, qui sont à la source des danses circulaires, ne sont pas responsables — ils le sont. Mais nous n'avons pas le pouvoir de changer quelqu'un qui ne veut pas changer, et nos vaines tentatives en ce sens ont pour effet de le *protéger* du changement. Tel est le paradoxe de ces danses circulaires auxquelles, tous, nous prenons part.

# Rapprochement émotionnel/ Éloignement émotionnel: une danse vieille comme le monde

Ceux qui se rapprochent chassent leur angoisse en partageant leurs sentiments et en recherchant l'intimité émotionnelle. Ceux qui s'éloignent chassent leur angoisse en intellectualisant leurs émotions ou en se retirant en eux-mêmes. Suivant le modèle de Sandra et Laurent, c'est bien souvent la femme du couple qui se rapproche, alors que l'homme s'éloigne.

Quand tout va bien, tous deux se complètent apparemment à la perfection. Elle est spontanée, vive, et réagit fortement aux émotions. Il est réservé, calme, logique. Mais quand cela va mal, chacun s'enferre dans son style personnel, l'accentue encore, et cela va de mal en pis.

Qu'arrive-t-il au moment où les inévitables stress de la vie frappent ce type de couple, que ce soit une maladie, un enfant en difficulté, un souci d'argent, un changement professionnel? Peu importe le contenu du problème, les deux styles, d'un coup, sont opposés et non plus complémentaires. Elle réagit vite, recherche le contact et veut se réfugier dans l'intimité. Elle partage ses sentiments et voudrait qu'il fasse de même. Il réagit de façon très logique et rationnelle, et elle ne peut pas accepter cela. Alors, elle accentue sa recherche de rapprochement, elle veut en savoir plus sur ce qu'il pense et ressent, et il s'éloigne encore davantage. Plus il s'éloigne, plus elle se rapproche, et vice versa. Elle l'accuse d'être froid, indifférent, inhumain. Il l'accuse d'être précipitée, hystérique, dominatrice.

Quelle est la conclusion habituelle de ce scénario classique? Au bout d'un certain temps, la femme entre dans ce que les thérapeutes appellent la phase de «distance réactive». Elle se sent rejetée, elle n'en peut plus et finit par se décider à s'occuper de ses affaires. L'homme dispose alors de plus d'espace qu'il n'en désire, et il se rapproche d'elle afin de rétablir le contact. Mais il est trop tard: «Où étais-tu quand j'avais besoin de toi!» dit-elle, en colère. À ce stade, il arrive même que les rôles soient temporairement inversés.

Ceux qui se rapprochent protègent ceux qui s'éloignent. Ils prennent en charge tous les besoins de proximité, d'attachement et d'intimité pour les deux partenaires; ils permettent à ceux qui s'éloignent d'éviter la confrontation avec leurs propres besoins de dépendance et leur insécurité. Tant qu'une personne se rapproche, l'autre peut offrir le luxe d'une distante indépendance et de son besoin d'espace. Connaissant l'éducation des filles, on ne s'étonnera pas du fait que ce soit habituellement la femme qui se rapproche, même si ce n'est pas systématiquement le cas. C'est ainsi que la femme fait le travail émotionnel de l'homme. Lorsque celui qui se rapproche décide de prendre de la distance et de consacrer plus d'énergie à sa propre vie, surtout s'il peut le faire en conservant sa dignité, et *sans hostilité*, alors celui qui s'éloigne peut discerner ses propres besoins de contact et de proximité... et se rapprocher à son tour. Mais attention! la tâche est ardue. La plupart des femmes qui se rapprochent, lorsqu'elles réagissent, prennent de la distance et adoptent une attitude rageuse et froide qui ne fait qu'inverser provisoirement le processus ou qui, pis encore, n'a aucun effet du tout.

## Comment sortir du cercle

Sandra et Laurent se trouvaient bloqués à l'intérieur d'un cercle infernal de rapprochement et d'éloignement depuis bien longtemps au moment où ils ont décidé de demander de l'aide. Depuis la naissance de leur premier enfant, Laurent se consacrait de moins en moins émotionnellement à Sandra, et de plus en plus à son travail et à ses loisirs. Sandra passait du rapprochement actif à la critique rageuse, et elle en était arrivée à un éloignement froid et amer. Tristement, mais prévisiblement, leur relation était passée du médiocre au pire.

Un vendredi soir, presque un an après notre première rencontre, Sandra brisa le cercle. De plus en plus, elle prenait conscience de sa responsabilité dans la satisfaction de ses propres besoins, et du fait qu'elle ne pouvait pas changer son conjoint. Ainsi, elle put entreprendre quelque chose de nouveau et de différent. Voici comment elle s'y prit.

Ce vendredi soir-là commença comme tous les autres. Les enfants étaient couchés, et Laurent fouillait dans son portedocuments, à la recherche de dossiers qui lui fourniraient deux bonnes heures de travail. Sandra vint s'asseoir près de lui sur le canapé. Laurent se crispa, se préparant à l'attaque habituelle, en vain. Sandra parla fermement, chaleureusement:

— Laurent, je te dois des excuses. Je te harcèle depuis longtemps. J'ai fini par comprendre que je te demande quelque chose que je dois me procurer moi-même. Peut-être le problème vient-il du fait que toi, tu as ton travail et ta famille, tandis que moi, je n'ai que toi et les enfants. C'est mon problème, et il faut que je fasse quelque chose.

— Oh, murmura Laurent, quelque peu déstabilisé. À l'évidence, il cherchait en vain ses mots. C'est une bonne idée…

Le soir suivant, Sandra demanda à Laurent si cela l'ennuierait de coucher les enfants le mardi et le vendredi, car elle avait l'intention de sortir. Laurent protesta, disant qu'il avait trop de travail. Au lieu de discuter, Sandra appela la gardienne ces deux soirs-là. Le mardi soir, Sandra alla à un cours hebdomadaire de yoga. Le vendredi, elle se rendit au cinéma avec une amie avec qui elle termina la soirée en buvant un verre. Elle cessa de poursuivre Laurent, sans toutefois s'en éloigner ou lui témoigner de la froideur. En fait, elle fut plus chaleureuse que d'habitude avec lui, tout en consacrant son énergie à ses propres centres d'intérêt et à son emploi du temps.

Au bout de trois semaines, Laurent, dont la seule préoccupation était d'avoir la paix, se sentit un peu nerveux. À sa grande surprise, il constata qu'il se sentait mal à l'aise quand sa femme cessait de l'importuner. Au début, il essaya de provoquer des disputes en cherchant à exercer un contrôle sur l'emploi du temps de ses soirées. Sans rancœur, Sandra expliqua à Laurent qu'elle avait besoin d'une vie sociale et qu'elle ne pouvait plus se permettre de négliger cette partie de sa vie. Sa fermeté et son enthousiasme disaient clairement à Laurent qu'elle agissait *pour elle-même*, et non pas *contre lui*.

Alors, Laurent se mit à se rapprocher. Plutôt que de rapporter du travail à la maison, il suggéra qu'ils appellent la gardienne pour sortir tous les deux — ce qu'ils ne faisaient jamais en semaine. Au fur et à mesure que Laurent éprouvait et faisait l'expérience de sa dépendance et de son insécurité, il se produisit quelque chose d'étrange. Pour la première fois, Sandra commença à avoir envie d'être seule de temps à autre. Pendant un temps, ils renversèrent les rôles, puis parvinrent à un équilibre. À ce moment-là, Sandra et Laurent étaient devenus capables de reconnaître que tous deux avaient besoin l'un de l'autre, mais aussi besoin de s'enfuir quand les choses devenaient embarrassantes.

Pourquoi fut-ce Sandra qui prit l'initiative? Sandra souffrait plus que Laurent de la situation, et son rôle la plaçait dans une position plus vulnérable. Quand elle vit que son attitude ne changeait rien, elle fut motivée et se mit à agir différemment. Pourquoi fut-*elle* obligée de prendre cette décision? Tout simplement parce que personne n'allait le faire à sa place.

Mais cette rupture du cercle ne suffit pas à rapprocher réellement Sandra et Laurent; il leur restait d'importantes barrières à franchir s'ils voulaient parvenir à l'intimité véritable. Néanmoins, cette étape leur permit de travailler plus ardemment à l'amélioration de leur relation, car ils purent ainsi reconnaître qu'ils avaient un problème commun: tous deux à la fois cherchaient l'intimité et la craignaient. Avant que Sandra ne brise le cercle, Laurent imaginait — version rassurante — que c'était Sandra et elle seule qui avait ce problème. De la même façon, Sandra s'imaginait que seul Laurent voulait s'éloigner et fuir toute intimité.

Lorsque celui qui se rapproche cesse de le faire et commence à réinvestir son énergie dans sa vie — sans pour autant négliger l'autre ou se mettre en colère contre lui — la danse circulaire est brisée. Il est vrai que cette méthode va à l'encontre des bonnes vieilles techniques qu'on enseigne aux femmes: c'est pourquoi elle peut paraître artificielle, manipulatrice. Mais il n'est certainement pas plus honnête de continuer la danse du rapprochement/éloignement. En fait, cela ne fait qu'imposer à la femme d'éprouver pour deux le besoin d'intimité et de dépendance, et en dépouiller son partenaire. Notre relation devient plus authentique, plus équilibrée si celui qui d'habitude se rapproche laisse transparaître son besoin d'indépendance et d'espace; ainsi, l'autre, qui d'habitude s'éloigne, a le loisir de laisser transparaître son besoin de dépendance et d'intimité.

## Mère abusive/Père absent: la dernière danse

«Sandra est vraiment une mère abusive: elle tient cela de sa mère.» Tels furent les termes que Laurent employa lors de notre première rencontre. Et il avait raison. Sandra, effectivement, se faisait trop de souci pour ses enfants, tout comme sa mère l'avait fait pour elle. Elle était bouleversée quand ses enfants l'étaient, et ne parvenait pas à les laisser gérer leurs propres déceptions, surmonter leurs tristesses et leurs colères. Elle avait tôt fait de repérer les problèmes potentiels de ses enfants, et ainsi ne faisait que les inciter à lui donner effectivement des sujets de préoccupation. Laurent avait donc raison. Néanmoins, il ne se rendait pas compte que lui aussi jouait un rôle dans le processus.

Laurent avait de grandes ambitions professionnelles. Dans sa course à la réussite, il s'isola insensiblement de sa femme et de ses enfants et renonça à toute activité avec sa famille. Sandra fut alors obligée de s'investir encore plus afin de combler le vide qu'il laissait. Laurent se sentit exclu et s'éloigna un peu plus. Chaque fois qu'il éprouvait trop de colère à se sentir exclu, il faisait irruption dans la vie familiale de façon violente. Comme Sandra me l'a expliqué lors du premier rendez-vous, il assumait alors son rôle de façon complètement unilatérale, agissant comme s'il était seul

maître à bord. Ces manifestations sporadiques d'autorité pater-
nelle masquaient en fait la réalité de son isolement: il se sentait
étranger à sa famille. Voilà comment Sandra et Laurent se retrou-
vèrent bloqués dans un autre cercle vicieux, où le comportement
de chacun renforçait celui de l'autre. Le sous-investissement de
Laurent provoquait le sur-investissement de Sandra, et vice versa.
Le processus se poursuivit, ponctué par d'occasionnelles crises
d'autorité parentale de la part de Laurent.

Cette danse-là fut difficile à arrêter, car toute la famille y
prenait part; d'un côté, Sandra et Laurent voulaient que l'autre
change. Lui critiquait le sur-investissement de Sandra autant
qu'elle-même critiquait son absence. D'un autre côté, chacun
souhaitait inconsciemment que la danse continue. «Change! Ne
change pas!»: ils se transmettaient alternativement et mutuellement les mêmes messages. Comme dans presque tous les
couples, chaque partenaire espérait que l'autre change et mûrisse,
tout en craignant ce changement et en y résistant.

Sandra, par exemple, ne cessait de se plaindre de l'absence
de Laurent auprès de ses enfants. Et pourtant, chaque fois qu'il
tentait de se rapprocher de sa famille, elle ne pouvait pas s'empêcher de le corriger sur quelque détail, de lui reprocher tel ou
tel comportement, de lui donner des conseils sur les rapports
qu'il devait avoir avec ses enfants. Il lui était extrêmement difficile de rester en dehors et de se contenter de le laisser être comme
il l'entendait avec ses enfants. Sandra voulait que Laurent
participe davantage, et pourtant elle désirait conserver son rôle
de parent dominant. Si elle avait renoncé à ce statut, elle aurait
éprouvé une intolérable sensation d'inutilité, et son insatisfaction face à son mariage aurait éclaté de façon trop violente.
Alors, elle transmettait à Laurent des messages à double sens.
Elle l'encourageait à se montrer plus disponible pour les petits
tout en sabotant inconsciemment toutes ses tentatives. Laurent,
de la même manière, lui envoyait des messages contradictoires.

Vers la fin de la thérapie conjugale, Sandra était devenue
capable de changer ses pas dans *cette* danse-là. Au fur et à mesure qu'elle s'investissait davantage dans son propre épanouissement, elle se fit moins de souci pour ses enfants, et cessa
d'avoir recours à eux pour combler le vide qu'elle éprouvait auparavant. De fait, en se concentrant sur son conjoint et ses en-

fants, Sandra se protégeait des interrogations difficiles: «Quelles sont mes priorités actuelles? Y a-t-il des centres d'intérêt auxquels je pourrais me consacrer? Quels sont mes objectifs personnels pour les années à venir?» Plus Sandra consacra d'énergie à résoudre ses problèmes, plus elle devint capable de laisser Laurent être comme il l'entendait avec ses enfants, sans s'immiscer, sans lui donner de conseils. Au fur et à mesure que Sandra s'investissait moins, Laurent s'investit davantage. Les enfants aussi sentirent que leur mère était en train de se consacrer à sa propre vie, et qu'elle n'attendait plus d'eux qu'ils soient loyaux à son image de «parent numéro un». Ils se rapprochèrent donc librement de leur père, sans angoisse, sans culpabilité. Pour Laurent, le passage était difficile, car il se trouvait confronté avec ses propres difficultés de père et ses doutes quant à sa compétence dans ce domaine.

## La volonté de changer l'autre

Sandra avait passé plusieurs années à essayer de changer Laurent. «Si seulement il changeait! Si seulement il était différent!» Elle était persuadée que s'il changeait, elle serait plus heureuse. Mais plus Sandra consacrait d'énergie à essayer de changer Laurent et de le contrôler, plus les choses se figeaient. On ne peut pas changer l'autre. Pendant que Sandra consacrait tous ses efforts à cette vaine entreprise, elle oubliait d'exercer *son véritable* pouvoir — *le pouvoir de se changer elle-même.*

Quand Sandra se rendit compte qu'elle ne pouvait pas changer Laurent, elle ne se mit pas à ravaler sa colère et son insatisfaction. Elle apprit à exprimer clairement et avec assurance ses réactions face à son conjoint. Elle savait maintenant que cette affirmation de ses choix et de ses désirs n'allait pas nécessairement provoquer le changement chez son partenaire. Si Laurent ne changeait pas, Sandra savait que ce serait à elle de décider quoi faire — ou ne pas faire. Cette situation-là est beaucoup moins confortable que celle qui consiste à entretenir des bagarres vaines et sans fin qui ne servent qu'à sauvegarder un *statu quo.*

Prenons un exemple. Une des choses qui horripilaient Sandra était l'habitude qu'avait Laurent de laisser toute tâche à moitié achevée. Dans ces cas-là, Sandra poussait Laurent à terminer; de son côté, il réagissait en récriminant, ce qui provoquait chez Sandra de nouvelles exhortations plus pressantes encore. Et cela continuait ainsi pendant des heures. Sandra avait beau savoir que la tâche ne serait pas terminée, elle ne pouvait pas s'empêcher d'essayer de *forcer* Laurent à la finir.

Comme c'est souvent le cas dans ce type de situation, l'attitude de Sandra servait en fait à conforter Laurent dans son comportement irresponsable. Il se mettait en colère, prenait une attitude défensive face à ses critiques, ce qui le protégeait de tout sentiment de culpabilité et de souci face à son incapacité à terminer une tâche. Les tentatives de Sandra ne firent que lui rendre plus facile d'éviter de faire face à son problème.

Aujourd'hui, Sandra agit différemment. Elle dit à Laurent qu'elle a du mal à supporter le plafond de la salle de bains à moitié peint, et les seaux de peinture qui traînent partout dans la maison. S'il ne réagit pas de façon positive, elle détermine comment satisfaire ses propres besoins. Elle prend cette attitude dès qu'elle *commence* à se sentir agacée, et ainsi sa colère est canalisée. Elle reste capable de parler à Laurent sans hostilité, et de l'informer qu'elle a besoin de faire quelque chose *pour* elle-même, et *non pas contre* lui.

Après une telle réflexion, elle peut agir comme bon lui semble. Elle peut dire à Laurent: «D'accord, je n'aime pas ça, mais je m'y ferai.» Ou bien: «Laurent, j'aimerais bien que tu finisses ce que tu as commencé, mais si tu ne peux pas le faire dans la semaine, je le ferai moi-même car vraiment cela m'agace trop.» Ou encore: «Je ne supporterai pas cette situation plus d'une semaine, et je n'ai aucune envie de finir le plafond moi-même, car je sais que si je le fais, cela va me mettre en colère. Il faut trouver une solution pour que j'évite de me mettre en colère, sans pour autant te harceler. Je te propose une chose: si ce n'est pas fini samedi, j'appelle un peintre pour qu'il termine.» Dans ce type de situation, il y a *toujours* une solution. Si Laurent disparaissait de la surface de la terre, Sandra ne passerait pas le reste de sa vie avec un plafond à moitié peint. Mais autrefois, elle faisait tant d'efforts pour essayer de changer Laurent qu'elle ne savait même plus reconnaître son propre pouvoir d'action et de décision. Et c'est quand même le seul pouvoir dont nous disposions réellement.

## CHAPITRE IV

# Les mères impossibles

## *L'histoire de Margot*

Quand il s'agit de notre famille d'origine, il est très difficile de mettre en pratique nos belles théories et nos bonnes intentions. Les relations que nous entretenons avec nos parents et les autres membres de la famille ne sont jamais simples, et ce sont elles qui exercent le plus d'influence sur notre vie. En effet, les familles établissent volontiers des règles et des rôles rigides qui ordonnent à chacun quoi penser et ressentir, et comment se comporter. Ces rôles sont très difficiles à remettre en question et à modifier. Lorsqu'un membre d'une famille commence à changer de comportement, à se conduire de manière non conforme aux règles, l'angoisse atteint son comble et bien vite chacun s'efforce de revenir aux bonnes vieilles habitudes.

Plutôt que d'avoir à affronter l'angoisse et l'inconfort qui sont inévitables quand nous devons établir une situation nouvelle dans une relation ancienne, il nous arrive souvent d'agir de deux façons différentes face à notre colère. Ces deux attitudes ne font que bloquer toute possibilité de changement.

La première réaction consiste à affronter les membres de notre famille en leur disant ce qui ne va pas et en leur montrant ce qu'ils devraient penser, ressentir, ou comment ils devraient se comporter. Là encore, nous essayons de changer *l'autre*. L'autre, c'est compréhensible, réagit mal et se met sur la défensive. Nous éprouvons alors de la frustration, de la culpabilité, et laissons les choses reprendre leur ancien cours. «Ma mère (mon père, ma sœur, mon frère) ne changera jamais!» Telle est notre conclusion.

La seconde réaction consiste à nous isoler émotionnellement ou géographiquement de notre famille. Il est vrai que face à une colère ou à une frustration chronique, le remède le plus radical est de quitter la maison, de s'installer à l'autre bout du pays ou, mieux encore, dans un autre pays, ou bien de trouver un thérapeute plein de bonne volonté qui nous servira de nouveau parent. Nous pouvons espacer les visites à nos parents, ou faire en sorte qu'elles soient de pure politesse et qu'elles restent superficielles. Effectivement, ce type d'éloignement apporte un soulagement temporaire: il diminue l'angoisse, l'intensité émotionnelle des relations familiales, et nous libère des sentiments d'inconfort qui peuvent surgir lors d'un contact émotionnel très intime. Le problème est qu'il faut en payer le prix à long terme. Toute cette intensité émotionnelle non résolue va resurgir dans une autre relation, avec un conjoint, un amant, ou, si nous-mêmes devenons parents, avec un enfant. Il faut aussi savoir que la distanciation émotionnelle vis-à-vis de notre famille d'origine empêche nos autres relations de progresser de façon sereine et assurée. Si nous apprenons à agir différemment avec notre famille, à débloquer les problèmes relationnels qui y règnent, nous fonctionnerons bien mieux dans nos autres relations importantes. Alors, comme va nous le montrer l'histoire de Margot, nous *pourrons* rentrer au bercail. Apprenons à nous servir autrement de notre colère.

## Les vieilles habitudes

Margot a vingt-huit ans et possède un diplôme universitaire. Elle vint me voir à propos de migraines récurrentes, et de son manque de désir pour son conjoint, Robert.

Mais dès notre premier entretien, elle ne me parla pour ainsi dire que de sa mère. Margot habitait à des centaines de kilomètres de sa mère: visiblement, le temps et l'éloignement géographique n'avaient pas suffi à panser les blessures.

Margot n'éprouvait aucune difficulté à percevoir sa colère vis-à-vis de sa mère, et, si on la laissait faire, elle ne parlait que d'elle. D'après ce qu'elle en disait, elles ne s'étaient jamais bien entendues, et leur relation ne s'était pas arrangée quand Margot était partie fonder une famille bien à elle. Les parents de Margot avaient divorcé cinq ans avant qu'elle n'entreprenne sa thérapie, peu après son mariage avec Robert. Depuis lors, Margot et son père s'étaient progressivement éloignés l'un de l'autre, et sa relation avec sa mère était devenue de plus en plus intense, malgré l'éloignement.

Margot invitait sa mère une fois par an, scrupuleusement. Mais le troisième jour du séjour, elle commençait à éprouver rage et frustration. Pendant les séances de thérapie, elle me décrivait les terribles péripéties de la dernière visite qu'elle avait subie. Désespérée, furieuse, elle énumérait la liste sans fin des crimes maternels. Avec tous les détails, elle relatait le côté négatif et indiscret de sa mère. Lors d'une visite, par exemple, Margot me raconta qu'elle et Robert avaient à peine terminé la peinture du salon, mais que sa mère ne remarqua rien. Robert venait d'apprendre sa prochaine promotion, mais sa mère ne fit aucun commentaire. Margot et son conjoint s'évertuaient à préparer des repas raffinés, mais sa mère se plaignit de la nourriture trop grasse. En plus, elle reprochait à Margot le désordre de la cuisine et critiquait la façon dont elle gérait son budget. Puis lorsque Margot annonça qu'elle était enceinte de trois mois, sa mère répliqua: «Comment vas-tu te débrouiller avec un enfant quand tu n'as même pas le temps de faire ton ménage?»

De tout cela, Margot ne disait rien, à l'exception de quelques sarcasmes et d'une crise particulièrement violente le jour du départ de sa mère. Elle était furieuse: pour elle, la thérapie était un moyen d'exprimer sa colère en toute sécurité. D'ailleurs, c'est tout ce qu'elle faisait. Jamais elle n'aurait répondu à sa mère: «Maman, cet enfant est très important pour nous. Nous sommes très heureux d'attendre un bébé, et même si parfois cela m'angoisse, je suis sûre que tout se passera bien.» Elle ne dit jamais non plus: «Maman, mon système de gestion est différent du tien, je le sais. Mais il fonctionne très bien pour moi, aussi bien que le tien pour toi.» Au lieu de cela, Margot se taisait chaque fois qu'elle essuyait critiques et mépris. Son comportement alternait entre une soumission silencieuse, une distanciation émotionnelle, et des crises de colère. De toutes ces attitudes, aucune ne l'aidait à s'en sortir.

À l'évidence, il n'est ni nécessaire ni souhaitable de réagir violemment à toutes les injustices et à toutes les sources de colère qui croisent notre chemin. Au contraire, en laissant passer certaines choses, on fait preuve de maturité. Mais pour Margot, le silence — suivi d'une crise de colère — était devenu une véritable règle de souffrance entre elle et sa mère. Margot se dépersonnalisait en évitant d'affronter des problèmes qui étaient importants pour elle; en conséquence, elle ressentait de la colère, de la frustration, elle avait l'impression d'être une victime, et, pour finir, elle déprimait.

Quand je lui demandai pourquoi elle se taisait, elle me fournit d'innombrables excuses: «Jamais je ne pourrai dire une chose pareille!» «Ma mère ne comprendrait pas!» «Ça ne ferait qu'aggraver la situation.» «J'ai essayé cent fois: ça ne sert à rien.» «La situation est sans issue.» «Si je disais une chose pareille, cela la tuerait.» «En réalité, ce n'est pas si important que cela.» «On voit que vous ne connaissez pas ma mère!»

Cela vous rappelle quelque chose? Quand, dans une famille, le degré d'intensité émotionnelle est élevé, nous avons tendance à rejeter toute la responsabilité de l'absence de communication sur l'autre. C'est toujours maman/papa/le frère/la sœur qui est sourd, paranoïaque, fou, indécrottable, fragile, têtu... Nous avons toujours l'impression que c'est *l'autre* qui nous empêche de parler et bloque la relation. Nous nous dépossédons de notre propre rôle dans les interactions dont nous nous plaignons, et, par la même occasion, de notre pouvoir de changement.

Margot agissait comme si tout ce qu'elle pouvait faire, c'était soit se taire, soit se disputer et se bagarrer, bien qu'elle sût par expérience que cela ne menait à rien. Alors, quand elle laissait s'exprimer sa colère, elle se sentait tellement frustrée qu'elle réembrayait aussitôt dans un nouveau cycle de silence et de distanciation émotionnelle.

# Un an plus tard: Margot monte au créneau

Annie — le bébé de Margot et Robert — avait deux mois au moment de la visite suivante de la mère de Margot. Cette dernière n'avait pas sitôt terminé de défaire ses bagages que la tension était déjà intolérable. Elle ne fit que s'accentuer avec le temps: sa nouvelle responsabilité de mère poussait Margot à se battre davantage, et elle et sa mère passaient leur temps à se heurter, en particulier au sujet de l'éducation d'Annie.

Margot laissait pleurer Annie en attendant qu'elle s'endorme. Sa mère lui dit que peut-être elle devrait la relever, et insista en disant que l'enfant se sentait sans doute abandonnée et que cela pourrait avoir des conséquences graves. Margot nourrissait son bébé quand il avait faim: sa mère lui fit remarquer que cela lui donnait de mauvaises habitudes et qu'elle devrait le nourrir à heures fixes. Et ainsi de suite.

Cette fois, Margot ne se contenta pas de se taire. Armée de données scientifiques, médicales, pédagogiques et psychologiques, elle entreprit de lutter pied à pied sur tous les sujets. Plus elle insistait, plus sa mère maintenait ses positions. La situation finit par devenir intolérable. Alors Margot se mit à accuser sa mère d'être rigide, dominatrice, incapable d'écouter. Sa mère se renfrogna et se replia sur elle-même. Margot se réfugia dans le silence. Les choses se calmèrent un peu, puis tout recommença.

Au bout de quatre jours, Margot me dit qu'elle était au bord de la crise nerveuse et qu'elle sentait venir une migraine épouvantable. Là encore, elle me déclara que sa mère était désespérante, et affirma amèrement qu'elle n'avait pas le choix: elle allait reprendre son ancienne attitude, souffrir en silence et la voir aussi peu que possible.

## Que s'est-il passé?

La réaction de Margot comporte au moins un défaut évident: elle essaie de changer sa mère plutôt que d'affirmer clairement ses propres convictions et de rester sur ses positions. S'efforcer de changer l'autre, surtout si c'est un membre de la famille d'origine, c'est courir à l'échec. La mère de Margot réagit comme on pouvait le prévoir, en s'accrochant avec plus de détermination encore à ses propres convictions face à sa fille qui s'efforce de lui faire admettre qu'elle est dans l'erreur. Margot ne savait pas encore qu'on ne peut ni changer ni contrôler les pensées et les sentiments de l'autre. Ses tentatives ne faisaient qu'accentuer la rigidité de sa mère, cela même qu'elle trouvait si dérangeant.

Peut-être avez-vous déjà trouvé un autre problème. Margot n'avait pas encore identifié la véritable source de sa colère. Comme il arrive souvent, mère et fille se battaient sur un pseudo-problème. Toutes ces disputes autour de l'éducation d'un enfant — le laisser pleurer ou le bercer pour l'endormir, lui donner à manger quand il a faim ou suivant un horaire précis — masquaient le *véritable* problème, l'indépendance de Margot vis-à-vis de sa mère.

Les réactions passionnelles de Margot l'empêchent de réfléchir à la situation de manière concentrée et claire. Tant qu'elle ne sera pas capable de se calmer et de réfléchir, elle ne pourra pas identifier son vrai problème et décider de la meilleure méthode à adopter pour le résoudre. Laisser éclater une colère longtemps refrénée n'a pas de valeur thérapeutique en soi. Ces crises procurent une sensation éphémère de soulagement — surtout pour la personne qui les exprime — et, en général, la victime survit sans problèmes à l'assaut verbal. Mais c'est une solution temporaire.

## Faisons le point

Un jour que Margot était une fois de plus en train de me raconter une dispute avec sa mère au sujet de l'éducation d'Annie, je me décidai à l'interrompre.

— Vous rendez-vous compte que vous protégez votre mère? lui dis-je.

— Je la protège? s'exclama-t-elle en me regardant comme si soudain j'étais devenue folle. Mais elle me pousse à bout. Je ne la protège pas! Au contraire, je passe mon temps à me battre avec elle.

— Et quel est le résultat de vos disputes?

— Il n'y a pas de résultat! Rien ne change, jamais!

— Et voilà, dis-je. C'est pour cela que vous la protégez.
Vous vous laissez entraîner dans des disputes qui ne mènent à
rien, et vous n'affrontez jamais le vrai problème. Vous vous battez avec votre mère plutôt que de lui exposer votre position.

— Ma position sur quoi? demanda Margot.

— Sur la question de savoir qui élève Annie, qui détient
l'autorité, qui prend les décisions.

Margot se tut un long moment. L'expression de colère sur
son visage laissa place à un air quelque peu déprimé, préoc-
cupé.

— Je n'en suis pas bien sûre.

— Alors, peut-être bien que nous ferions mieux de nous
occuper de ce problème, pour commencer.

Après cette conversation, Margot s'orienta dans une autre
direction. Elle commença à réfléchir sérieusement à la situation,
cessa de se contenter d'exprimer des sensations, et entreprit de
clarifier sa position plutôt que de continuer à critiquer sa mère.
Par la même occasion, elle put adopter un nouveau point de
vue sur le type de relation qu'elle entretenait avec sa mère. À sa
grande surprise, elle se rendit compte qu'elle se sentait coupable d'exclure sa mère de sa nouvelle famille; une partie d'elle
voulait «partager» ses enfants pour éviter que sa mère ne se
sente exclue ou triste. Margot réfléchit au divorce de ses parents, qui avait suivi de près son propre mariage, et se posa la
question de savoir si sa décision de quitter la maison pour se
marier était liée à la rupture de ses parents. C'est alors qu'elle
me révéla une information capitale qu'elle n'avait jamais men-
tionnée auparavant: sa mère, après avoir accouché d'elle, avait
subi ce qu'on appelle une dépression post-partum, qu'on avait
soignée par électrochocs. Inconsciemment, Margot craignait
qu'après son propre accouchement, sa mère ne retombe dans la
dépression.

Les mois qui suivirent, Margot explora les multiples fa-
cettes de la relation intense qui la liait à sa mère. Elle sentit sa colère
diminuer, et éprouva davantage de sympathie pour sa mère.
Elle commença à comprendre que tous les membres de la famille, y compris elle-même, s'étaient efforcés de protéger sa
mère de la solitude et de la dépression sans se préoccuper de savoir si elle en avait besoin ou non. Plus important encore, Mar-

got fut capable de reconnaître son propre désir de conserver le *statu quo* — de s'accrocher à sa mère, de maintenir les bonnes vieilles habitudes. Tant que Margot continuait à entretenir les disputes et à ne pas parler des vrais problèmes, elle se sentait encore «à la maison». Même si elle avait emménagé sur la lune, elle serait restée la petite fille de sa maman.

Plus Margot perdait sa crainte et son sentiment de culpabilité, et apprenait à montrer à sa mère sa véritable personnalité et sa force, plus elle s'apprêtait à changer la relation. Elle cesserait de se laisser emporter dans les disputes comme avant. Elle ne se contenterait plus de rester assise, en silence, chaque fois qu'elle sentait que sa mère remettait en question sa propre autorité maternelle et son statut de femme adulte. Margot allait montrer qu'elle était une femme indépendante.

## Briser le cycle: la prochaine visite de sa mère

Annie a maintenant un an et demi. Il fait chaud, c'est dimanche après-midi, cela fait deux jours que la mère de Margot est arrivée. Robert est sorti jouer au tennis avec ses amis. Margot vient de mettre Annie au lit pour la sieste, et celle-ci pleure. Au bout de cinq minutes, la mère de Margot saute de sa chaise et sort Annie du berceau.

— Je ne supporte pas de l'entendre pleurer! dit-elle. Je vais la bercer pour qu'elle s'endorme.

Margot sentit la colère monter, mais se retint de crier. Elle savait que les cris, comme le silence, ne servaient qu'à protéger sa mère. Alors, elle se calma.

Aussi fermement qu'elle put, Margot se leva, prit le bébé des bras de sa mère et le reposa doucement dans son berceau. Puis elle se tourna vers sa mère et lui dit, sans colère ni agressivité:

— Maman, viens avec moi. Il faut que je te parle, c'est important.

Son cœur battait si vite qu'elle eut peur de s'évanouir. En un éclair, elle se rendit compte qu'il serait plus facile de se disputer que de faire ce qu'elle s'apprêtait à faire. Car elle était sur le point de montrer à sa mère son autonomie. Et elle le ferait comme une personne mûre et responsable. Visiblement, sa mère était nerveuse aussi; cela ne ressemblait pas à Margot de parler fermement et calmement.

Les deux femmes s'assirent sur la balancelle. La mère de Margot parla la première; sa colère masquait à peine l'angoisse qu'elle éprouvait.

— Marguerite (c'est ainsi qu'elle appelait Margot chaque fois que celle-ci lui causait du souci), je ne supporte pas d'entendre pleurer un bébé. Quand un enfant demande à être pris dans les bras, je ne peux pas rester là et faire semblant de ne rien entendre.

Margot parla d'une voix stable et assurée. Elle regarda sa mère dans les yeux, et s'exprima sans colère.

— Maman, dit-elle, j'apprécie ton intérêt pour Annie. Je sais comme c'est important pour toi que tes petits-enfants soient bien éduqués. Mais il faut que je te dise…

Margot fit une pause. Sans savoir pourquoi, elle sentait dans sa poitrine une peur glacée. Elle savait que sa mère ressentait la même chose. Mais elle garda son calme.

— Vois-tu, maman, Annie est mon bébé. Je m'efforce tous les jours de devenir une bonne mère et d'établir avec elle une bonne relation. Pour moi, il est très important que je fasse ce que je juge bien. Il m'arrive parfois de faire des erreurs, je le sais. Mais il faut que je m'occupe d'Annie comme je l'entends, pour elle comme pour moi. Et j'aimerais bien que tu le comprennes et que tu m'aides dans cette tâche.

Margot était toute surprise de percevoir la maturité et la force de sa propre voix. Elle continua, avec un enthousiasme qui peu à peu devenait sincère.

— Maman, tu ne m'aides pas quand tu me dis ce qu'il faut faire, ou quand tu me corriges. Si tu pouvais cesser, je t'assure que cela serait très important pour moi.

Un silence de mort régna un instant. Margot eut l'impression d'avoir poignardé sa mère. Puis celle-ci commença à parler, de sa bonne vieille voix familière, furieuse, exactement comme si elle n'avait pas entendu.

— Margot, je ne supporte pas de voir un enfant souffrir. À l'âge d'Annie, on ne laisse pas un bébé sangloter dans son berceau.

Et sa mère continua à développer ses théories sur les dommages psychologiques qu'un tel comportement peut engendrer.

Margot eut bien envie d'affirmer ses positions, mais elle se retint. Elle savait que discuter ne ferait que détourner l'attention du véritable problème qu'elle avait enfin fini par aborder — son statut de femme indépendante, différente de sa mère, unique. Elle écouta patiemment et respectueusement jusqu'au bout. Elle ne contredit pas sa mère, et ne répondit pas. Elle savait, et sa mère aussi, qu'il était en train de se passer quelque chose d'inhabituel.

— Maman, dit Margot doucement, tu ne m'as pas bien entendue. Laisser pleurer le bébé ou le prendre, j'ai raison ou j'ai tort, je ne sais pas. Ce qui compte, c'est que je suis la mère d'Annie, et qu'à ce titre, je fais ce que je juge bon. Je sais que je peux me tromper. Mais en ce moment, je fais beaucoup d'efforts pour devenir indépendante et avoir confiance en moi en tant que mère. Pour moi, il est très important que je puisse faire ce que je trouve bien pour mon enfant.

La mère, quelque peu anxieuse, se mit sur la défensive.

— J'ai élevé quatre enfants, répliqua-t-elle. Serais-tu en train de me dire que tu n'as pas besoin de mes conseils? Que tout ce que je dis ne sert à rien? Que j'aurais mieux fait de rester chez moi? Je peux m'en aller, tu sais, si je te dérange, puisque apparemment, je ne fais rien de bon.

Margot sentit sa colère monter, mais elle disparut bien vite car elle savait ce qu'elle voulait. Elle savait qu'elle ne répondrait pas à la provocation, qu'elle ne se laisserait pas piéger encore une fois. Alors elle dit:

— Maman, j'aime que tu sois à la maison. Je sais que tu as l'expérience des enfants. Peut-être que quand je me sentirai plus sûre de moi, je pourrai te demander des conseils.

— Mais maintenant, tu n'en veux pas? dit sa mère d'un ton accusateur.

— Oui, c'est exactement cela, maman. Tant que je ne te demande pas de conseils, c'est que je n'en veux pas.

— Je ne peux pourtant pas rester là à te regarder rendre cette enfant malheureuse!

La mère de Margot devenait de plus en plus irrationnelle, de plus en plus provocante; inconsciemment, elle essayait d'attirer Margot et de la forcer à la dispute afin de réinstaurer la bonne vieille relation.

— Tu sais, maman, c'est parfois difficile pour Robert et moi d'être de bons parents. Mais je pense que c'est bien parti, et je suis certaine qu'Annie sera heureuse.

— Et tu me critiques! continua la mère, exactement comme si Margot n'avait pas parlé. J'essaie de t'aider et tu m'envoies balader!

— Maman, la voix de Margot restait calme, je ne te critique pas. Je ne dis pas que tu as tort. Je te dis comment je réagis. Quand tu prends Annie alors que je viens de la coucher, cela ne me plaît pas parce que je suis en train d'essayer de prendre confiance en moi, en tant que mère. Je ne te critique pas, je te dis quels sont *mes* sentiments et *mes* désirs.

La mère de Margot se leva d'un coup et retourna dans la maison en claquant la porte. Soudain, Margot eut une vision horrible: sa mère était partie se suicider, elle ne la reverrait jamais plus. Elle se rendit compte que ses genoux tremblaient et qu'elle avait le vertige. Margot et sa mère traversaient la phase de l'angoisse de la séparation. Margot était en train de quitter la maison.

## Comprendre la réaction de sa mère

Quand Margot sortit de son ancienne situation par rapport à sa mère, elle éprouva une sorte de panique, pour elle-même et pour sa mère, qui avait réagi en renforçant ses propres positions dans des proportions presque absurdes. Ce faisant, elle essayait de se protéger et de protéger sa fille de l'angoisse que provoque la prise d'indépendance de deux êtres proches.

Même si, à première vue, la réaction de la mère paraît odieuse, égoïste, elle cherche en fait à rester proche de sa fille et à leur épargner à toutes deux l'éprouvante solitude qu'engendre l'autonomie. En fait, si sa mère avait été capable de réagir calmement et rationnellement, Margot aurait éprouvé encore plus d'angoisse. En plus de cette peur de la perte de l'autre, l'ancien schéma relationnel était installé depuis si longtemps que ni Margot ni sa mère ne savaient plus communiquer autrement. Quel genre de relation allait remplacer l'ancienne? Ni l'une ni l'autre ne le savait. Aussi, au moment où Margot brisa le vieux schéma, sa mère, sentant inconsciemment une menace peser sur leur relation, fit ce qu'elle put pour la sauvegarder.

Bien que, intellectuellement, Margot fût prête à faire face aux événements qui suivirent, elle éprouva quand même un choc et de la tristesse. «Peut-être ai-je commis une erreur? se dit-elle. Ma mère est-elle folle? Vais-je perdre ma mère à jamais simplement parce que j'ai enfin eu le courage d'affirmer mes opinions?»

La réponse est non. Les contre-attaques sont inévitables lorsque nous entreprenons de nous définir plus fermement dans une relation familiale. La réaction retour-arrière de la mère était pour elle la seule façon d'exprimer le fait que, lorsque Margot faisait acte d'indépendance, elle se sentait rejetée cruellement. Les menaces — plus ou moins exprimées — étaient les suivantes: la mère allait déprimer, s'éloigner, être désespérée, et la relation entre elle et Margot allait être rompue. Comme nous l'avons vu, ces contre-attaques sont prévisibles, compréhensibles, et, dans une certaine mesure, universelles. La suite des événements dépend entièrement de Margot.

## La nouvelle danse, pas à pas

Pour Margot, le travail ne fait que commencer. Au moment où sa mère rentra dans la maison, furieuse, Margot eut peur, elle se sentit coupable. En fait, ce qu'elle souhaitait plus que tout à ce moment-là était de s'éloigner de sa mère — déserter le champ de bataille. Elle avait dit ce qu'elle avait à dire et maintenant, tout ce qu'elle voulait, c'était disparaître, ou que sa mère disparaisse.

Mais ce n'est pas possible. Dans ces situations, le délit de fuite n'a pas cours, et la fuite n'engendre aucun changement durable. Si Margot veut vraiment obtenir ce changement, il lui reste encore un long chemin à parcourir.

D'abord, il faut qu'elle sache (pour elle, mais pour sa mère aussi) que lorsque enfin elle affirme son indépendance, elle n'affirme pas pour autant un manque d'affection ou un refus de proximité. L'indépendance, c'est se définir clairement sur toutes les questions importantes, mais ce n'est pas s'éloigner émotionnellement. Donc Margot doit montrer, par son comportement, que même si elle reste ferme sur ses désirs et ses convictions, elle continue à aimer sa mère.

Toute négociation visant à l'indépendance — surtout entre mère et fille — est parsemée d'angoisse de rejet et de perte, à tel point que la personne qui décide de changer doit aussi prendre en charge le maintien du contact émotionnel avec l'autre. Si Margot ne se charge pas de cette tâche, sa mère se sentira rejetée, elle souffrira; Margot éprouvera de l'angoisse et de la culpabilité; toutes deux, au bout d'un certain temps, retrouveront le vieux schéma relationnel.

Que doit faire Margot pour maintenir le contact émotionnel? Elle pourrait parler à sa mère de ses intérêts, de ses activités. Elle pourrait essayer d'en savoir plus sur le passé de sa mère, son histoire personnelle. C'est une des meilleures méthodes, aussi bien pour maintenir le contact que pour en apprendre davantage sur soi-même (voir le chapitre VI). Après un certain temps, une fois les esprits apaisés, Margot pourra entreprendre un dialogue avec sa mère au sujet de l'éducation des enfants — domaine dans lequel effectivement elle a une expérience précieuse. Par exemple, elle pourrait dire: «Tu sais, maman, j'ai beau essayer de consoler Annie, il lui arrive de pleurer sans s'arrêter. J'étais comme ça quand j'étais petite? Comment as-tu fait?» Ou encore: «Ça n'a pas été trop dur d'élever quatre enfants, surtout avec deux petits si rapprochés?» À ce moment-là, il se peut que la mère, outrée, réponde: «Eh bien, je croyais que tu n'avais pas besoin de mes conseils?» Alors Margot répondra: «C'est vrai, les conseils ne me servent pas à grand-chose. Il vaut mieux que j'apprenne par moi-même et que je trouve mes propres solutions. Mais en revanche, c'est très intéressant d'en savoir plus sur ce que tu as vécu et comment tu t'en es sortie.» En effet, se dispenser des conseils ne revient pas à stopper toute communication. Quand nous prenons notre indépendance, nous en apprenons davantage sur notre famille, et nous avons davantage de choses à partager.

Mais la tâche de Margot n'est pas terminée. En plus, elle sera soumise à une batterie de tests: sa mère voudra savoir si Margot est vraiment sérieuse, ou si elle a envie de revenir à leur ancienne relation. Là encore, la personnalité de la mère de Margot n'a rien à voir avec la situation, qui est classique dans tous les systèmes familiaux. C'est une règle aussi rigoureuse qu'une loi de physique. Margot doit s'attendre à voir sa mère attaquer, reculer, menacer et recommencer à traiter le bébé à sa manière. Elle doit être prête à réaffirmer ses opinions, comme si son disque était rayé, tout en maintenant le contact émotionnel, ce qui est primordial.

On le voit, Margot a encore du travail. Ce jour-là, elle n'a fait que démarrer un processus qui lui permettra d'atteindre une forte autonomie par rapport à sa famille d'origine. Si elle s'y tient, elle acquerra l'indépendance et une perception claire de son identité qui se manifesteront dans toutes ses relations. Quant à sa mère, elle aussi, elle adoptera de nouveaux modes d'interaction et pourra acquérir une certaine maturité émotionnelle.

Mais Margot sera-t-elle capable de tolérer l'angoisse et la culpabilité qu'engendre la nouvelle situation, ou bien se laissera-t-elle prendre au piège et retournera-t-elle à ses vieilles habitudes rassurantes afin de rester proche de sa mère? La balle est dans le camp de Margot, c'est à elle de choisir, et ce n'est pas facile.

## Être ensemble, mais autrement

Margot a décidé de changer. Elle a fait de nombreuses rechutes, a recommencé maintes fois à se disputer avec sa mère, à la critiquer ou à s'en éloigner. Mais chaque fois, elle a su se relever et reprendre le travail. Plus le temps passait, moins sa déclaration d'indépendance personnelle était agressive, accusatrice et haineuse. Elle réussit ainsi à établir une relation nouvelle, plus adulte, avec sa mère, et put aborder avec elle des sujets qui avaient toujours été soigneusement évités durant toutes ces années de querelles. Margot demanda à sa mère de lui parler de sa vie, de ses propres parents, de son enfance et de ses souvenirs. Elle entraîna même la conversation vers des sujets considérés comme tabous («Maman, comment expliques-tu ta dépression après ma naissance?»). Elles purent parler comme elles ne l'avaient jamais fait auparavant, car leur vieille relation était fondée sur le silence, le sarcasme, la dispute et l'éloignement émotionnel. Plus elles parlèrent, plus Margot commença à comprendre les comportements «odieux» de sa mère. Elle comprit que l'apparente indiscrétion de sa mère, ses critiques incessantes, ne faisaient qu'exprimer son désir d'aider sa fille, ainsi que la peur de la perdre si elle n'arrivait pas à se rendre utile. La mère conseillait, critiquait, mais elle était aussi désemparée que Margot sur la façon d'établir une relation affectueuse et proche. Elle aussi avait senti que Margot n'arrivait pas à changer. Margot apprit enfin que sa mère avait eu avec sa propre mère le même type de relation.

Et le père de Margot? Comme beaucoup de pères, il brillait par son absence. L'éloignement de Margot par rapport à son père s'était encore accentué avec le divorce de ses parents, en partie à cause d'une règle familiale tacite qui disait que Margot devait être du côté de sa mère. Quand Margot cessa d'éprouver le besoin d'entretenir avec celle-ci ses anciennes relations de dépendance, elle entreprit de rétablir avec son père une relation individuelle adulte.

Ce n'était pas facile, parce que Margot et son père éprouvaient angoisse et inconfort à l'idée d'établir une relation proche. Quand Margot lui écrivit pour la première fois, son père réagit en s'éloignant davantage: encore une réaction de contre-attaque parfaitement classique! Margot, et il faut l'en féliciter, sut conserver une attitude calme et elle continua, discrètement, à lui écrire et à lui raconter les événements et les problèmes de sa vie. Le père et la mère avaient beau continuer à se déchirer, Margot, grâce à sa nouvelle indépendance, put rester en dehors des conflits — et il fallait pour cela qu'elle soit sûre d'elle. Avec le temps, sa relation avec son père s'est développée et épanouie.

À la suite de tous ces changements, Margot cessa de souffrir des symptômes qui l'avaient amenée à venir me voir. Ses migraines cessèrent, elle recommença à éprouver du désir pour son mari. Elle acquit également plus d'assurance dans toutes ses relations.

Son œuvre aura des répercussions sur la génération suivante. Quand ses enfants auront grandi, elle saura leur laisser suffisamment d'indépendance et d'autonomie. En effet, l'indépendance qu'on acquiert dans sa famille d'origine se transmet automatiquement à la génération suivante. Si Margot n'avait pas accompli ce travail de changement, elle serait devenue une mère abusive et aurait réagi de façon trop émotionnelle face à ses enfants. Ou elle serait peut-être, au contraire, devenue une de ces mères froides et distantes, ce qui n'est que le revers de la médaille. Même si Margot ne s'en rend pas compte, elle a accompli un travail pédagogique hors pair!

## Devenir soi-même

Autonomie, indépendance, connaissance de sa propre identité — pour tous les psychologues, ce sont des valeurs primordiales. Primordiales aussi pour les femmes qui ont besoin d'aide et qui disent: «Je veux me trouver», «Je veux savoir qui je suis réellement, ce que je veux», «Je ne veux plus être autant affectée par l'opinion des autres», «Je veux avoir une relation importante tout en restant moi-même».

Définir et conserver une identité bien à soi, cela commence dans sa famille d'origine, mais cela ne s'arrête pas là. Comme Margot, nous pouvons entreprendre cette tâche (et acquérir du même coup une plus grande capacité d'intimité avec l'autre) à n'importe quel âge. Si nous parvenons à renégocier au mieux nos relations avec les membres de notre famille, les récompenses sont énormes, car l'identité que nous réussissons ainsi à dégager influencera toutes nos autres relations.

Dans cette tâche continuelle, la colère est une arme à double tranchant. D'un côté, elle nous aide à préserver notre intégrité et notre respect de soi. Par exemple, la colère que Margot éprouvait envers sa mère lui a fait comprendre que la relation qu'elle entretenait avec elle ne la satisfaisait plus, et qu'il fallait la modifier. D'un autre côté, nous avons vu que l'expression de la colère ne suffit pas à résoudre le problème soulevé par cette colère. Bien au contraire, si Margot a réussi dans son entreprise, c'est parce qu'elle a été capable de partager quelque chose d'important avec son père et sa mère d'une façon directe, non agressive, tout en maintenant un contact émotionnel avec eux tout au long du processus. Pour cela, Margot devait garder sa persévérance et son calme, sans se laisser influencer par les inévitables contre-attaques et les réactions retour-arrière. Acquérir son identité, son indépendance, voilà ce que c'est. Pour y parvenir, nous avons besoin de garder l'esprit clair et de nous exprimer calmement, deux qualités particulièrement incompatibles avec l'état de colère.

## CHAPITRE V

# La colère: votre guide

## Comment vous construire une identité claire

À la lecture de l'ouvrage de Thomas Gordon, *Parents efficaces*, je me familiarisai avec la théorie des «messages-je». Je me souviens encore de la première occasion qui me fut donnée de la mettre en pratique. J'étais en train de faire la vaisselle dans la cuisine quand je vis que mon fils Matthew, qui avait trois ans à l'époque, s'était installé à table et qu'il se préparait à couper une pomme avec un couteau pointu. Voilà la conversation qui suivit:

— Matthew, pose ce couteau. Tu vas te couper.

— Mais non!

— (*un peu en colère*) Je te dis que tu vas te couper!

— (*un peu en colère*) Mais non!

— (*encore plus fort*) Je te dis que si! Pose-le!

— Non!

À ce stade, je me rappelai ce que je venais de lire, et qui disait en substance ceci: tous les «messages-tu» (par exemple: «tu vas te couper») peuvent se transformer en «messages-je» —

et, du même coup, devenir des affirmations qui s'abstiennent de critiquer l'autre. En un clin d'œil, j'opérai la conversion:

— Matthew, repris-je (sans colère cette fois), quand je te vois manipuler ce couteau pointu, cela me fait peur. Je crains que tu ne te coupes.

Matthew s'arrêta et me regarda droit dans les yeux.

— C'est ton problème, dit-il calmement.

— Tu as absolument raison. C'est mon problème, j'ai peur et je vais résoudre ce problème immédiatement en t'enlevant le couteau.

Ce que je fis.

Curieusement, Matthew lâcha le couteau sans discuter, sans colère, sans lutte, sans se sentir humilié. Je lui confisquais le couteau parce que cela m'angoissait, et j'exerçais mon autorité parentale dans cette perspective. C'était moi qui avais un problème («J'ai peur») et je prenais la responsabilité de mes sentiments. Plus tard, j'appris que depuis plus d'un mois déjà, à l'école Montessori qu'il fréquentait, Matthew se servait d'un couteau pointu pour couper sa pomme, mais cela n'a rien à voir avec notre histoire. Ce qui est important, c'est que je parvins à déplacer le problème, à passer de «Tu vas te couper» (j'avais vu cela dans ma boule de cristal, sans doute!) à «C'est mon problème».

Évidemment, ce n'est pas toujours possible. Le jour où mon mari a cassé ma tasse de porcelaine préférée, celle que j'avais depuis le collège, je ne me tournai pas vers lui en toute sérénité en lui disant: «Chéri, quand je t'ai vu laisser tomber ma tasse, j'ai éprouvé une certaine colère, comme un trouble. Je serais tellement contente si tu pouvais faire attention la prochaine fois.» Ce jour-là, je le vouai aux gémonies, et m'offris une petite scène. Il s'excusa, et quelques minutes plus tard nous étions redevenus les meilleurs amis du monde.

Les «messages-je» ne sont pas une panacée. Si votre but est simplement de faire savoir à quelqu'un que vous êtes en colère, vous pouvez le faire à votre façon; il arrive que cela marche, et dans tous les cas, vous vous sentirez soulagée.

*Mais si votre objectif est de rompre un processus dans une relation importante ou d'acquérir un sens de l'identité plus fort qui vous servira dans toutes vos autres relations, il faut que vous appreniez à traduire votre colère en affirmations claires, non agressives de ce que vous êtes.*

Dans d'innombrables livres de développement personnel, on vous apprend à passer du «Tu es...» au «Je trouve que...». Si nous disons: «Je trouve que tu ne m'écoutes pas», nous optimisons nos chances d'obtenir un dialogue constructif. En revanche, si nous disons: «Tu ne sais pas écouter», nous les perdons. La façon dont Margot a modifié sa relation avec sa mère illustre parfaitement cet aspect des choses. Mais il ne suffit pas, loin de là, de travailler sur la forme de notre communication.

*Pour la femme, le problème le plus important est d'établir une identité claire qu'il lui faudra ensuite communiquer; nous ne sommes pas préparées à gérer les réactions négatives auxquelles nous nous heurtons dès que nous commençons à définir et à affirmer notre identité.*

Comme nous l'avons vu, les femmes craignent souvent qu'une identité claire ne *menace* leur relation ou provoque la *perte* d'une personne importante. Alors, plutôt que d'utiliser notre colère comme un défi qui nous force à définir plus clairement notre identité dans toutes nos relations, il nous arrive, quand nous sommes en colère, de brouiller le peu de clarté personnelle que nous avons déjà. Nous agissons ainsi non seulement à la maison, avec les membres de notre famille, mais aussi au bureau, avec nos collègues. Ce fut le cas de Karine, qui a eu bien du mal à conserver une identité claire. Son histoire vous rappellera sans doute quelque chose si vous faites partie des gentilles...

## De la colère aux larmes

Karine était courtière en assurances. Dans son entreprise, il n'y avait que deux femmes à faire ce type de travail, le reste de l'équipe étant composé d'hommes. Au bout d'un an, elle reçut de son patron une note d'évaluation qui la plaçait dans la catégorie des éléments «très satisfaisants». Mais Karine estimait objectivement que ses résultats auraient dû lui permettre de se classer parmi les «supérieurs».

Pour elle, cette note d'évaluation était très importante, car seuls les «supérieurs» recevaient une prime spéciale et bénéficiaient de séminaires de formation. Karine avait deux enfants et recevait peu d'aide financière de son ex-mari. Elle avait besoin de l'argent de la prime et voulait pouvoir bénéficier de la formation proposée.

Quand elle raconta son histoire aux membres de son groupe de thérapie, elle avait les larmes aux yeux.

— Cela me fait de la peine, dit-elle. C'est vraiment trop injuste!

On lui demanda ce qu'elle comptait faire.

— Rien. Ce n'est pas la peine de faire des histoires, répondit-elle, morose.

— Mais tu n'es donc pas en colère? lui demanda un membre du groupe.

— Pourquoi serais-je en colère? répondit Karine. Où est-ce que cela va me mener? Cela ne ferait qu'aggraver la situation.

Voilà ce qu'elle disait pour éviter de prendre sa colère au sérieux.

Aidée par les autres membres du groupe, Karine put enfin reconnaître sa colère et rassembler le courage nécessaire pour demander une entrevue à son patron afin de parler de sa note. Elle commença de façon positive en lui expliquant pourquoi elle pensait mériter une meilleure note. Au début, son patron semblait écouter avec attention, mais bientôt il se mit sur la défensive et cessa d'écouter son point de vue. Quand elle eut terminé, il balaya tous les éléments objectifs qu'elle avait exposés, et se concentra sur certains problèmes qu'il avait remarqués dans son travail. Ces problèmes, bien que réels, étaient vraiment futiles et n'auraient pas dû peser sur la note de Karine. Puis il ajouta que ses collègues pensaient qu'elle n'était pas très facile à vivre.

— Qu'entendez-vous par là? demanda Karine.

— C'est peut-être une question de personnalité, poursuivit-il, mais vous donnez parfois l'impression que vous n'êtes pas aussi dévouée à votre travail que vous pourriez l'être.

À ces mots, les yeux de Karine se remplirent de larmes, et elle perdit ses moyens.

— Je ne comprends pas, dit-elle doucement, s'efforçant de ne pas éclater en sanglots.

Puis elle commença à expliquer à son patron qu'elle se sentait mal aimée, qu'elle avait tant de mal à élever ses deux enfants tout en essayant de bien faire son travail. La Karine sûre de soi, sereine, avait fait place à une femme blessée, en larmes. Son patron passa alors de la défensive au paternalisme. Il l'assura qu'elle avait un excellent potentiel professionnel et compatit à ses problèmes de mère isolée. À la fin de la réunion, Karine lui racontait le trouble émotionnel où elle se trouvait depuis son divorce, et son patron lui prêtait une oreille compatissante. Elle ne parla plus du tout de sa note, et lui non plus. Elle quitta le bureau, soulagée de ne pas s'être querellée avec son patron et contente que l'entretien se soit terminé sur une note chaleureuse.

Quand Karine nous raconta son entretien à la séance suivante, elle conclut sur ces mots:

— Vous comprenez, cela ne sert à rien de discuter avec lui. Il n'écoute pas. Et de toute façon, cette note n'est pas si importante que cela. À la vérité, pour moi, ce n'est pas une affaire.

Mais les membres du groupe refusèrent de lâcher le sujet. Ils avaient bien des questions à poser à Karine, et ils la forcèrent à faire face à ses incertitudes.

Qui étaient donc ces collègues qui remettaient en question le dévouement de Karine et disaient au patron qu'elle n'était pas toujours facile à vivre?

Karine n'en avait aucune idée.

Et que voulait dire «pas facile à vivre»?

Karine ne savait trop: «Ma personnalité, mon caractère, sûrement...»

Alors, que devrait-elle faire pour obtenir une meilleure note?

Karine l'ignorait.

Non seulement elle s'était abstenue de réaffirmer ses positions après que son patron se fut mis sur la défensive, mais en outre elle n'avait même pas pu tirer les choses au clair. Elle n'avait pas demandé le nom des collègues qui la critiquaient, ni des précisions sur ce qui, dans sa personnalité, posait problème. Elle n'avait même pas posé la question de savoir ce qu'elle devait faire pour obtenir une note supérieure. La réaction émotionnelle de Karine face aux critiques de son patron avait réussi à bloquer son raisonnement, à l'empêcher de poser les bonnes questions et de dire ce qu'elle voulait dire.

Troublée, déstabilisée, pas trop sûre d'elle: trois sensations qu'éprouvent souvent les femmes qui luttent pour leur propre statut. *Ce n'est pas simplement la colère et la dispute qu'on nous a appris à craindre; nous évitons de poser des questions précises et de nous affirmer clairement quand, inconsciemment, nous suspectons qu'en agissant ainsi, nous exposerions nos différences, nous déstabiliserions l'autre et nous retrouverions toutes seules.*

— Mais mon patron *m'intimide*! dit Karine.

Cette histoire-là est loin d'être exceptionnelle. Déjà Karine craignait de faire chavirer le bateau d'une relation importante si elle adoptait une attitude mûre et raisonnée. Ses larmes, sa bonne volonté à laisser son patron prendre l'attitude du conseiller, du confident, tout cela constituait sa stratégie inconsciente pour réinstaurer le *statu quo* et s'excuser pour sa différence, qu'elle avait manifestée par son désaccord. Inconsciemment, Karine, par ses larmes, avait peut-être essayé de faire culpabiliser son patron («Voyez comme vous me faites du mal!»), ce qui est fréquent chez les femmes qu'on empêche de s'affirmer clairement.

— Mais je ne suis plus en colère, protesta Karine. Ça n'a pas d'importance.

*Bien sûr* que Karine est encore en colère. Simplement, elle ne veut pas l'admettre. La colère est inévitable lorsque nous nous soumettons à des circonstances injustes et quand nous protégeons quelqu'un à nos dépens.

Chez Karine, le déni de la colère et l'incapacité à camper sur ses positions eurent des conséquences inévitables. Au travail, elle se sentit fatiguée, moins motivée. Deux semaines après sa note, elle égara un dossier important et fut sévèrement réprimandée. Son acte d'autosabotage était peut-être une tentative inconsciente de se placer dans le rôle du «méchant» qui ne méritait pas vraiment une note supérieure, plutôt que de conserver sa position et son opinion suivant laquelle son patron s'était trompé et ne lui avait pas donné la note qu'elle méritait.

## Le déni de la colère: l'inconscient à l'œuvre

Ne vous est-il jamais arrivé, au travail, de prendre l'initiative d'une confrontation pour vous retrouver, au bout du compte, en larmes, en train de vous excuser, vous sentant coupable, confuse, honteuse? Le comportement de Karine rappelle sans doute quelque chose à bon nombre de femmes. Comment comprendre les raisons profondes, inconscientes qui nous poussent à renier notre colère et à sacrifier ce que nous avons de plus précieux — une personnalité définie?

## La peur de la destruction

L'attitude de Karine quand elle fut incapable de défendre sa position de façon raisonnée et claire devant son patron se retrouve dans d'autres aspects de sa vie. Les explications qu'elle se donne ne sont que la pointe de l'iceberg: «Il m'intimide», «Je n'arrive pas à raisonner quand j'ai affaire à un supérieur», «J'imagine que mes convictions ne sont pas solides». Et *effectivement*, Karine perdit sa confiance quand elle s'aperçut que ses idées ne recevaient pas l'approbation des autres. Ce manque de confiance masquait un problème plus sérieux: Karine avait *peur* d'affirmer clairement qu'elle avait raison, parce qu'alors elle aurait dû *persister et continuer* à se défendre. Et en agissant ainsi, elle serait devenue la *cible* de son patron. Et comme Karine le dit, cela aurait pu se terminer en dispute.

Cette idée effrayait Karine, et elle avait en partie raison: une dispute aurait à coup sûr accentué les tensions entre elle et son patron, et elle aurait eu d'autant plus de mal à se faire entendre. En dehors de ces considérations réalistes, elle avait inconsciemment peur qu'une dispute ne libère son potentiel destructeur inconscient, même si jamais ce n'était arrivé auparavant. En perdant contrôle de sa colère, ne se mettrait-elle pas à tout détruire autour d'elle? C'était comme si Karine craignait que l'expression de son outrage provoque dans toute l'entreprise un incendie ravageur. En outre, comme la plupart des femmes, elle n'avait jamais appris à exprimer sa colère de façon contrôlée, directe et efficace.

Il n'est pas étonnant que Karine ait éprouvé une peur profonde de ses pulsions destructrices et de la vulnérabilité des hommes. Nos définitions même de la virilité et de la féminité sont basées sur l'idée que les femmes doivent être des partenaires non menaçantes, et aider les hommes à construire leur ego, de peur que ces derniers ne se sentent castrés, affaiblis. Le problème, c'est que dans le cas de Karine, cette peur irrationnelle se payait cher. Non seulement elle évita la dispute, mais en plus elle fut incapable d'affirmer ses exigences. Tout cela entre dans la catégorie d'une pulsion destructrice potentielle qui pourrait faire mal ou humilier les autres.

## La peur de l'indépendance

Karine n'avait pas seulement peur d'une éruption volcanique. Elle craignait aussi, inconsciemment, de transformer sa colère en affirmations concises de ses opinions et de ses sentiments, de peur que cela n'éveille les sentiments d'isolement que nous éprouvons quand nous exprimons nos différences et encourageons notre entourage à se comporter de la même façon. Margot, par exemple, éprouva cette angoisse de la séparation quand elle se mit à parler de son bébé à sa mère de façon adulte, mûre. Sandra l'éprouva quand elle s'excusa auprès de Laurent pour s'être montrée si critique, et prit ses responsabilités pour assurer son propre bonheur. Barbara *l'aurait* ressentie si elle avait cessé de se disputer et avait décidé de dire calmement à son mari qu'elle avait décidé d'aller au séminaire.

L'angoisse de la séparation s'empare de nous chaque fois que nous adoptons une position autonome, non agressive dans une relation, ou même quand, tout simplement, nous considérons cette éventualité. Parfois, cette angoisse est basée sur une peur réaliste: nous craignons qu'en prenant une position claire («Désolée, mais je refuse de faire ce que tu me demandes.»), nous perdions une relation ou un emploi. Plus souvent, et c'est encore plus important, l'angoisse de la séparation est basée sur une crainte sous-jacente de l'isolement et de l'autonomie, qui prend ses racines dans notre expérience avec notre famille d'origine, où l'on attendait peut-être de nous que nous posions un couvercle sur notre personnalité. Les filles sont particulièrement sensibles à ces exigences, et sont bien souvent beaucoup plus aptes à protéger le «nous» relationnel qu'à affirmer le «je» autonome.

Karine n'était pas consciente de cette angoisse, et pourtant c'est à cause d'elle qu'elle est passée de l'expression claire et nette de sa position à la crise de larmes. Elle a exprimé sa peine, et ainsi son patron a pu se montrer secourable. Elle a ainsi réussi à rétablir une relation avec lui, ce qui l'a rassurée bien qu'elle se soit trahie elle-même. Depuis longtemps, le comportement de Karine reflétait cette volonté de préserver ses relations en pleurant, en s'autocritiquant, en éprouvant du trouble ou en faisant la paix de façon prématurée. Au cœur du problème se trouvait le fait que Karine (comme Margot au chapitre IV) devait faire de gros efforts pour clarifier son autonomie et son indépendance à l'intérieur de sa famille d'origine. Si Karine peut rester en contact avec des membres de sa famille et progresser dans ce domaine, elle deviendra plus efficace quand elle sera en colère, et elle n'aura plus peur de s'affirmer en tant que personne indépendante.

## *Agir autrement*

Si Karine devait tout recommencer, comment pourrait-elle transformer sa colère en actes productifs? D'abord, elle devrait mieux se préparer à faire face aux contre-attaques de son patron, ce qui, dans ce cas précis, consiste à critiquer indirectement son travail et à détourner la conversation. Karine ne doit pas essayer de changer ou de contrôler les réactions de l'autre (de toute façon, ce n'est pas possible). Mais elle ne doit pas non plus se laisser contrôler par elles. Elle peut se contenter d'écouter ce que l'autre a à dire, puis réaffirmer sa position initiale. De temps à autre, il faut se résoudre à passer pour un disque rayé.

Et si Karine a envie de pleurer ou devient troublée au cours de l'entretien? Elle doit demander un peu de temps pour se reprendre. Elle pourrait dire: «Laissez-moi remettre un peu d'ordre dans mes idées. Fixons un autre rendez-vous.»

Et si le patron refuse de modifier la note? Alors, Karine doit réfléchir à la suite des opérations. Elle peut demander à un tiers de revoir son évaluation. Elle peut aussi, tout simplement, dire à son patron: «Je ne suis pas d'accord, mais je peux vivre avec votre décision.» Elle peut demander ce qu'elle doit faire exactement pour mériter une note supérieure à la prochaine évaluation. Car Karine aura beau apprendre à gérer sa colère, elle ne pourra pas *changer* l'avis de son patron ou s'assurer que la justice va régner. Elle *peut* affirmer sa position, admettre ses choix et prendre ses propres responsabilités. Plus Karine sera calme et claire avec son patron, plus ce *dernier* sera calme et clair en exprimant son jugement et ce qu'il est prêt à faire ou à ne pas faire. Mais peut-être préfère-t-elle inconsciemment éviter cette clarté afin de garder l'image d'un patron sympathique!

L'histoire de Karine illustre combien nos peurs inconscientes de la destruction et de l'autonomie nous empêchent de voir la situation clairement et d'utiliser notre colère comme un défi qui nous poussera à prendre de nouvelles positions, pour notre propre bien. Dans certaines circonstances, néanmoins, notre problème n'est pas la *peur* de la clarté, mais *l'absence* de clarté. Il est évident que nous sommes en colère. Mais il se peut que nous soyons peu claires quant à notre «je», car nous avons pris l'habitude de nous concentrer sur ce que *l'autre* nous fait. Voici un exemple tiré de mon expérience personnelle.

## Il était une fois... une poêle à frire

Il y a quelques années, ma sœur aînée, Susan, séjournait chez nous. Nous allâmes toutes les deux dans un grand magasin où j'avais l'intention d'acheter une poêle antiadhésive. Sans beaucoup réfléchir, j'en pris une qui me paraissait tout à fait convenable et me dirigeai vers la caisse. J'avais à peine fait deux pas que ma sœur me fit remarquer que je n'avais pas fait le bon choix. À l'entendre, elle était tout à fait sûre de son avis; en outre, elle accompagna son jugement d'un luxe de détails techniques, m'expliquant pourquoi le type de poêle que j'avais choisi n'était pas le bon — informations dont je n'avais que faire. Au début, je me sentis impressionnée par ce savoir encyclopédique; mais plus elle parlait, plus je sentais la colère monter. Qui lui avait demandé son avis? Pourquoi s'imaginait-elle toujours qu'elle avait raison? Pourquoi fallait-il toujours qu'elle se pose en experte universelle? Je caressai un moment l'idée de lui mettre un coup de poêle sur la tête, mais m'arrêtai à temps. Alors, je me dirigeai vers la caisse d'un pas décidé, petite sœur brave et rebelle que j'étais. Je payai ma poêle, celle que j'avais choisie toute seule. Effectivement, elle était de mauvaise qualité et ne survécut pas bien longtemps — comme Susan l'avait prédit.

Il y a un vieux dicton qui dit: «Ce que l'on enseigne aux autres, c'est ce que nous avons besoin d'apprendre.» Un jour, je racontai cette histoire à mon amie Marianne Ault-Riché, qui anime avec moi les séminaires sur la colère. Durant mon récit, j'étais extrêmement troublée, bien loin du calme et de la sérénité. Pourquoi étais-je si en colère? La réponse était toute simple: parce que ma sœur était vraiment une personne difficile! Elle avait provoqué ma colère à cause de son attitude «je-sais-tout» et de son besoin de se montrer experte en tout. Tout ce que je dis à Marianne au sujet de ma colère revenait à décrire ma sœur — pas un seul mot sur moi.

Marianne écouta puis, tout naturellement, me dit: «Si seulement ta sœur pouvait venir faire les courses avec moi! J'adorerais tout savoir sur les revêtements antiadhésifs des poêles à frire. C'est formidable de tout savoir!»

Marianne parlait en toute sincérité. Si elle avait été à ma place, elle aurait réagi de façon tout à fait positive à l'attitude encyclopédique et à la personnalité de Susan. En fait, les qualités même que je décrivais étaient celles qui faisaient que Susan était appréciée de beaucoup de gens, y compris de mes parents. À ce moment, je perçus en moi-même ce que d'habitude je suis prompte à discerner chez les autres: mon attitude critique m'empêchait de comprendre le pourquoi de ma réaction violente.

Pourquoi donc les conseils et l'expertise de Susan m'agaçaient-ils? Pourquoi était-ce un problème pour moi? Quelle forme avait donc pris notre relation, et quel était mon rôle dans cette relation? Ce ne fut qu'après être devenue capable de réfléchir à ces questions que je pus dire à Susan ce qui m'ennuyait chez elle, sans pour autant lui dire qu'elle était en faute.

Pour commencer, j'utilisai ma colère comme un déclic pour déterminer ce que je voulais, puis pour établir des limites avec ma sœur. Comme Margot le fit avec sa mère, je dis à Susan que son avis n'était le bienvenu que lorsque je le lui demandais. À l'évidence, ce fut difficile pour Susan d'accepter le fait que je refuse délibérément ses conseils avisés, car elle accueillait volontiers les avis des autres, qu'elle les ait sollicités ou non. Pour me faire mieux comprendre, je lui parlai de la façon dont j'avais vécu mon expérience de sœur cadette.

— Tu sais, Susan, toute ma vie tu as été pour moi une véritable *star*. Toujours je t'ai considérée comme celle qui détenait toutes les réponses. J'avais l'impression que tu savais tout, que tu pouvais tout faire. Et je me sentais inférieure, j'avais le sentiment de ne pas avoir grand-chose à t'offrir ou à t'apprendre. En fait, chaque fois que je me laisse impressionner par tout ton savoir, je réagis en perdant mes compétences. Notre relation est très importante pour moi, et je fais mon possible pour retrouver mon équilibre à cet égard. Je pense que pour y parvenir, j'ai besoin de me protéger, pour un temps, de tes conseils et de tes avis. Je sais que ça paraît stupide, ingrat, parce que tu es vraiment quelqu'un de serviable et d'efficace, mais si tu veux vraiment m'aider en ce moment, il faut que tu cesses de me donner des conseils.

En réalité, je demandais à ma sœur de modifier son comportement. Mais je ne le lui demandais pas parce que ses conseils étaient nuisibles, ou excessifs, mais parce que c'était en l'occurrence la seule façon de m'aider, étant donné mes réactions à ces conseils de grande sœur — réactions dont j'assumais l'entière responsabilité.

Le fait de partager mon dilemme avec Susan (y compris l'envie que j'éprouvais lorsque je me disais que c'était elle la *star* de la famille) constitua une étape importante et contribua largement à briser le vieux cycle de sous-fonctionnement/surfonctionnement dans lequel Susan jouait le rôle de la personne compétente et moi, celui de la personne qui a besoin d'aide. Autrefois, plus Susan faisait preuve de sagesse et de savoir pour nous deux, plus je réagissais en me dépersonnalisant et en me mettant dans un état de trouble et de confusion. Lorsque je pus enfin dire mon souhait de servir à quelque chose pour Susan (plutôt que d'être toujours celle qui reçoit), elle réagit en me confiant certains de ses problèmes, et je compris alors pour la première fois que pour elle aussi, mon avis était important. Avec le temps, notre relation retrouva son équilibre et je cessai de me placer systématiquement sur le plateau inférieur de la balance. Aujourd'hui, l'avis de Susan m'est précieux — que je lui aie demandé ou non — sur tous les sujets, y compris les poêles antiadhésives.

Pour exploiter notre colère et en faire le point de départ d'une meilleure connaissance de soi, il n'est pas forcément nécessaire de nous analyser en détail et de trouver des explications psychologiques élaborées à nos réactions, comme je l'ai fait avec Susan. Si je n'avais pas réussi à identifier nos problèmes relationnels, j'aurais pu me contenter de lui dire que je ne voulais pas de son avis, mais que je ne savais pas trop pourquoi. Dans cette histoire, l'essentiel est que j'ai utilisé ma colère pour clarifier une demande fondée sur mes besoins personnels, et non pas parce que j'avais envie de faire autorité sur le comportement de Susan.

*La colère est un instrument de changement lorsqu'elle nous pousse à mieux nous connaître et non pas à mieux connaître les autres.*

## Prendre une position ferme

Pour utiliser notre colère de façon efficace, nous devons être capables de renoncer à certaines choses — renoncer à accuser celui que nous considérons comme responsable de nos problèmes et incapable de nous rendre heureux; renoncer à l'idée que c'est à nous de changer les autres ou de leur dire comment ils doivent penser, ce qu'ils doivent ressentir, comment ils doivent se comporter. Mais cela ne signifie pas que nous devions accepter passivement leur comportement ou nous y plier. Une telle attitude de laisser-aller révèle une situation de dépersonnalisation, dans la mesure où nous oublions de clarifier ce qui, pour nous, est et n'est pas acceptable ou désirable dans une relation. Le problème est de déterminer *comment* on peut clarifier sa position.

Récemment, je travaillais avec Ruth, une femme qui se plaignait de ce que son conjoint néglige sa santé. Il avait eu un grave problème aux jambes, pour lequel il avait été mal soigné; les choses ne faisaient qu'empirer, et apparemment il n'avait pas l'intention de faire quoi que ce soit. Ruth exprimait sa colère en lui faisant des sermons sur ce qu'il devrait faire et en interprétant ses sentiments et son comportement («Tu cherches à te détruire», «Tu te négliges tout comme ton père l'a fait», «Tu nies tes propres angoisses», etc.). Son conjoint réagissait en se renfrognant davantage et en négligeant encore plus son problème (ce qui est compréhensible, car sa femme se faisait assez de souci pour deux). Plus le mal progressait, plus son conjoint refusait fermement d'envisager tout traitement. Cette danse circulaire, où l'attitude de Ruth renforçait celle de son partenaire, mena à davantage de sermons sur ce qu'il devrait faire et sur ce qu'il ressentait *réellement*. Comme beaucoup de femmes, Ruth était en train de réagir émotionnellement *à la place* de son conjoint, pendant qu'il jouait les sourds et les insensibles.

Une grande étape fut franchie lorsque Ruth comprit que c'était à son conjoint de déterminer ses propres sentiments, de prendre ses risques et la responsabilité entière de sa santé. C'était son travail à lui, pas le sien. Mais elle devait aussi prendre sa colère au sérieux, s'en servir pour établir clairement, pour elle et pour son conjoint, le fait qu'elle ne pouvait pas supporter ce *statu quo* et continuer à vivre comme si de rien n'était.

Ruth réalisa un changement capital quand elle se mit à parler à son conjoint de ce qu'elle ressentait, au lieu de le critiquer et de le sermonner. Le père de Ruth était mort d'une maladie dégénérative quand elle avait douze ans, et maintenant elle avait peur de perdre son conjoint de la même manière. Au lieu de se concentrer sur le caractère autodestructeur et la négligence de son conjoint, Ruth put enfin lui demander de se faire soigner à cause de ses besoins et de ses sentiments à elle. Elle expliqua que ses angoisses étaient si profondes qu'elle ne pouvait plus vivre normalement. Elle n'accusa pas son conjoint, ne le rendit pas responsable de ses propres réactions, et cessa de lui dire ce qui était bon pour lui. Au lieu de cela, elle partagea son problème avec lui et lui demanda de respecter l'intensité de son trouble. Il consentit à consulter un médecin, tout en précisant bien qu'il le faisait *pour elle*, et non pas pour lui.

Quand nous nous servons de notre colère pour affirmer notre identité, nous prenons une position de force, car nul ne peut s'opposer à ce que nous pensons et ressentons. Les autres peuvent toujours essayer: nous n'avons même pas besoin d'arguments pour nous défendre. Nous pouvons nous contenter de dire: «Je sais que cela vous paraît irrationnel ou complètement fou, mais c'est ainsi que je vois les choses.» Bien sûr, on ne peut jamais être certain que l'autre va modifier son attitude comme nous le souhaiterions. À ce propos, voici l'histoire de Joan.

## Une position intransigeante

Joan et Carl vivaient ensemble depuis un an; ils s'étaient mis d'accord pour garder chacun leurs amis, hommes et femmes. Ils avaient choisi la monogamie, mais ne voulaient pas sacrifier leurs amis les plus proches. Ce contrat informel était parfaitement vivable, jusqu'au jour où Carl se mit à passer de plus en plus de temps avec sa jeune adjointe, qui était en train de divorcer. Joan réagit en éprouvant des sentiments de jalousie, de colère. Elle se sentait menacée.

Pendant presque un an, la relation qui existait entre Carl et son adjointe fut l'objet de querelles inutiles et incessantes. Joan demandait à Carl si la relation était purement platonique; Carl, en réponse, l'accusait d'être possessive et paranoïaque. Il s'ensuivit d'innombrables discussions intellectuelles sur le problème des limites à ne pas dépasser: était-il normal que l'adjointe de Carl l'appelle le soir chez lui pour lui parler de son divorce? Était-ce normal que Carl dîne avec elle, ou bien devait-il se contenter de déjeuner? Joan ne savait plus si elle devait blâmer Carl ou s'accuser elle-même, et rien ne se résolvait. Mais sa colère récurrente, sans aucun doute, était le signe que malgré le temps qui passait, elle n'était pas à l'aise avec cette relation.

Le moment décisif arriva lorsque Joan cessa de se plaindre du comportement de Carl et affirma tout bonnement qu'elle trouvait la situation inacceptable. Elle cessa de le critiquer, de lui dire qu'il agissait mal, et reconnut même qu'à sa place, peut-être qu'une autre se tairait ou bien en profiterait pour en faire autant. Joan affirmait ainsi qu'elle éprouvait plus de jalousie et de colère qu'elle ne pouvait en supporter.

Carl jugea sa réaction pathologique, bourgeoise; Joan ne se défendit pas, elle ne discuta pas. Au lieu de cela, elle dit: «Mes sentiments sont ce qu'ils sont. La relation que tu entretiens avec cette femme me rend tellement malheureuse que je te demande d'y mettre fin. C'est peut-être mon problème à 99 p. 100, mais je ne peux pas vivre cette situation tout en étant bien avec toi.

C'est trop difficile pour moi.» Joan maintient sa position dignement et fermement.

La position claire de Joan força Carl à déterminer quelles étaient ses priorités — et apparemment sa première priorité n'était pas Joan. Carl refusa de mettre fin à sa relation avec son adjointe. Joan, très ébranlée, finit par prendre une position catégorique et dit: «Je ne peux pas continuer à vivre avec toi si tu gardes cette relation.» Ce n'était ni une menace ni une tentative de chantage émotionnel. Elle s'efforçait simplement de partager ses sentiments et de dire ce qui était possible ou non pour elle. Carl ne réagit pas, et continua à voir son adjointe. Joan lui demanda de partir. Peu après, Carl quitta Joan et s'installa avec son adjointe.

Joan en souffrit beaucoup; mais elle était satisfaite de la position qu'elle avait prise. Elle avait perdu Carl, mais gardé sa dignité et son respect de soi. Avait-elle bien agi? Elle avait bien agi en fonction de ce qu'elle était, mais certaines d'entre nous, à sa place, auraient peut-être agi différemment — ou bien n'auraient tout bonnement pas su quoi faire.

Lorsque nous utilisons notre colère comme un guide pour nous aider à déterminer nos besoins les plus profonds et nos priorités, ne nous affolons pas si nous constatons que rien n'est clair en nous. Si notre relation la plus importante nous rend amères ou nous met sans cesse dans un état de colère, cela veut dire que nous y avons compromis une trop grande partie de notre identité, et que nous ne savons pas quelle nouvelle position adopter, et quelles options s'offrent à nous. Reconnaître notre manque de clarté n'est pas une faiblesse, mais une chance, un défi, et, en fin de compte, une force.

«Qui suis-je?» «Qu'est-ce que je veux?»: telles sont les questions auxquelles nous sommes confrontées. Pendant trop longtemps, on nous a encouragées à ne pas nous poser de questions, mais à accepter ce que les autres définissaient comme «notre vraie nature», «notre place», «nos responsabilités maternelles», «notre rôle de femme», etc. Parfois, on nous a appris à substituer d'autres questions aux questions fondamentales: «Comment plaire aux autres?» «Comment m'attirer amour et approbation?» «Comment maintenir la paix?» Le plus difficile, c'est justement quand nous ne parvenons pas à nous poser les questions fondamentales, et quand nous refusons d'éprouver la colère qui nous indique qu'il est temps pour nous de nous les poser.

Reconnaître sa propre incertitude et apprendre à vivre avec elle pendant un temps, c'est un acte de courage. Trop souvent, la colère nous pousse à prendre des positions auxquelles nous n'avons pas pris le temps de réfléchir vraiment, ou que nous ne sommes pas vraiment prêtes à assumer. Et ceux qui sont toujours disposés à donner leur avis ne nous aident pas non plus: «Tu ne vas pas le quitter maintenant!» «Tu n'as qu'à dire à ton patron que tu refuses cette mission.» «Tu ne peux pas te laisser faire ainsi.» «Dis-lui que tu refuses de la revoir si elle recommence.» «Dis-lui non, tout simplement.»

*Freinez!* Même si notre colère ne sert qu'à nous montrer que nous ne sommes pas sûres de ce que nous sommes et que nous avons du travail à faire dans ce domaine, c'est déjà un formidable outil de croissance et d'épanouissement. Dans le chapitre suivant, nous analyserons le parcours d'une femme, qui la mène d'une situation de colère et de rancœur à une confrontation efficace face à sa confusion.

CHAPITRE VI

# De génération en génération

## *Carole et son père*

Carole a cinquante ans. Elle est mère de famille, son plus jeune enfant vient d'entrer à l'université. Son père a soixante-douze ans, et est professeur à la retraite. Il est veuf depuis dix ans et souffre de problèmes de santé. Carole m'a appelée à la Fondation parce qu'elle avait entendu dire que j'étais une spécialiste de la colère. Lors de notre première conversation téléphonique, elle décrivit le schéma relationnel qui, depuis plus de dix ans, provoquait sa colère.

— Mon père a un gros problème, m'expliqua-t-elle d'une voix manifestement désespérée. Il m'en demande trop, surtout depuis qu'il ne peut plus conduire parce qu'il a eu une attaque. Je suis censée l'emmener faire ses courses chaque fois qu'il me le demande et le conduire à tous ses rendez-vous. Il me réclame de m'occuper de son appartement, et après il se plaint de ce que ce n'est pas à son goût. En fait, il y a énormément de choses qu'il pourrait faire, mais il se comporte comme un grand bébé. Parfois, il m'appelle deux ou trois fois par jour. Quand je lui refuse quelque chose, il se renfrogne et je me sens coupable. Vraiment, je n'en peux plus.

À notre première rencontre, je lui demandai des éclaircissements.

— *Comment voyez-vous votre problème?* lui demandai-je.

— Mon problème, c'est que mon père ne se rend pas compte que j'ai ma vie à moi. Il trouve que ma vie devrait dépendre de la sienne. Depuis la mort de ma mère, il m'utilise pour combler le vide et prendre la relève.

— *Et qu'avez-vous dit exactement à votre père à propos de ce problème?*

— Papa, rends-toi compte que j'ai ma vie à faire, tu m'en demandes trop. Cesse donc de me culpabiliser chaque fois que je ne cède pas. Tu devrais sortir un peu, voir des gens, cesser de t'isoler et de compter exclusivement sur moi.

— *Et comment réagit-il?*

— Il s'énerve et refuse de me parler. Quelquefois il se met à parler de sa mauvaise santé, et il me culpabilise tellement que je me dis que ça ne vaut pas la peine.

— *Et alors, que faites-vous?*

— Rien. Rien ne marche — c'est pour cela que je suis venue vous voir.

Il était frappant, mais aussi classique, de constater que dans son résumé, Carole parlait exclusivement de son père:

«Mon père ne comprend pas que j'ai ma vie à faire.»

«Mon père pense que toute ma vie devrait tourner autour de lui.»

«Mon père m'utilise.»

«Mon père m'en demande trop.»

«Mon père me culpabilise.»

«Mon père devrait sortir, voir des gens.»

Carole fait ce que nous faisons presque tous quand nous sommes en colère. Elle juge, elle accuse, elle critique, elle moralise, elle prêche, elle sermonne, elle interprète et fait de la psychologie. Pas une de ses affirmations ne la concerne personnellement.

En lisant la suite de ce chapitre, rappelez-vous les leçons des chapitres précédents. Le problème de Carole avec son père ressemble, par certains côtés, au problème de Margot avec sa mère. Avant de lire mes réponses aux questions, efforcez-vous d'y réfléchir vous-même.

*Le père de Carole a-t-il tort d'avoir de telles exigences?* Je ne sais pas. Qui peut dire avec certitude combien d'exigences ce père de soixante-douze ans, veuf, a le droit de formuler envers sa fille adulte? Si nous posions cette question à dix personnes, nous obtiendrions probablement dix réponses différentes, suivant l'âge, la religion, la nationalité, la classe sociale, la position et le contexte familiaux de la personne interrogée. Si j'étais à la place de Carole, je me plaindrais probablement comme elle de l'excès d'exigences de mon père. Mais c'est parce que je suis ce que je suis. Quelqu'un d'autre, placé dans la même situation, serait peut-être heureux d'être autant sollicité.

Si nous cherchons «la vérité vraie» (Qu'est-ce qu'un parent a le droit de demander? Qu'est-ce qu'une fille doit donner?), nous oublions de tenir compte du fait qu'il existe de multiples façons de percevoir la même situation: les gens réagissent, pensent et ressentent de façons différentes. Si j'insiste sur ce point, c'est parce qu'il est difficile à comprendre et à tenir en mémoire quand nous sommes en colère. Les désirs conflictuels, les perceptions différentes du monde ne signifient pas qu'il existe une personne qui ait raison et l'autre qui ait tort.

*Carole a-t-elle le droit de se sentir en colère? Sa colère vis-à-vis de son père est-elle légitime?* Bien sûr. Comme je l'ai dit, il n'est ni mal ni bien, ni légitime ni illégitime de se sentir en colère. Nous avons le droit d'éprouver tout ce que nous ressentons, et la colère de Carole mérite son attention et son respect. Mais son droit à la colère ne signifie pas nécessairement que son père ait tort. En fait, la colère et la rancœur chroniques de Carole signifient qu'il lui faut réévaluer son rôle dans sa relation avec son père, et envisager une modification de comportement.

*Qu'est-ce qui ne fonctionne pas dans la façon dont Carole communique avec son père?* Pour commencer, Carole n'est ni adroite, ni fin stratège. Il existe peu de gens capables de continuer à écouter lorsqu'ils se sentent accusés ou critiqués. À moins que le père de Carole ne soit particulièrement souple, ses affirmations ne font certainement qu'engendrer une méfiance plus grande de sa part et minimiser les chances pour qu'il l'entende.

Ensuite, le mode d'expression de Carole laisse penser qu'elle connaît ce que vit et éprouve son père. Elle dit qu'il est égoïste, névrosé, qu'il est trop exigeant et qu'il utilise sa fille pour combler le vide laissé par son épouse. Cette analyse psychologique est ou n'est pas exacte. Il existe de nombreuses interprétations possibles du comportement du père.

Quand nous sommes victimes du stress, un de nos passe-temps favoris est l'analyse psychologique de l'autre. Même si cela reflète peut-être un désir de l'aider et de le comprendre, il s'agit plus souvent d'une manière détournée d'accuser l'autre et de lui faire porter la responsabilité. Quand nous analysons, nous présumons de ce que l'autre pense, de ce qu'il ressent, de ce qu'il veut *vraiment*, ou encore de comment l'autre *devrait* penser, réagir ou se comporter. Mais on ne peut être sûr de rien. C'est déjà bien assez difficile de se connaître soi-même.

*À qui appartient le problème?* «Mon père a un gros problème. Il m'en demande trop.» Ces affirmations — les premiers mots que me dit Carole au téléphone — reflètent le fait qu'elle est convaincue que c'est son *père* qui a un problème. Et pourtant, d'après ce qu'elle en dit, son père est parfaitement capable d'identifier ses désirs, de les affirmer clairement, et même d'obtenir ce qu'il veut.

En fait, le problème appartient à Carole. C'est elle qui doit trouver le moyen d'identifier et de clarifier ses propres limites dans sa relation avec son père afin de ne plus éprouver ni amertume, ni rancœur. C'est Carole qui lutte, c'est elle qui souffre. C'est *son* problème.

Mais cela ne veut pas dire qu'elle soit coupable, ou responsable. La question «À qui appartient le problème?» n'a rien à voir avec la culpabilité. Celui qui a le problème est celui qui se sent insatisfait ou perturbé par une situation donnée.

*Quel est le problème de Carole?* Elle n'a pas encore tiré au clair certaines questions fondamentales: «Dans quelle mesure suis-je responsable de ma vie et de mon père?» «Être égoïste, qu'est-ce que c'est?» «Comment puis-je respecter mes désirs et mes priorités?» «Dans quelle mesure puis-je aider mon père sans ressentir colère et rancœur?» Tant que Carole ne pourra pas donner à ces questions des réponses claires, elle ne pourra pas modifier la relation qu'elle a avec son père.

Le problème de Carole n'est pas que son père la culpabilise. Les autres ne peuvent pas nous faire culpabiliser: ils peuvent essayer, c'est tout. Il est à prévoir que son père lui donnera du fil à retordre si elle modifie son attitude, mais elle est la seule responsable de ses propres sentiments, y compris la culpabilité.

C'est vrai, les réponses ne sont pas simples. Quelle serait *votre* réaction si Carole réussissait à établir de nouvelles limites avec son père? La trouveriez-vous égoïste? Penseriez-vous qu'elle a bien fait de revendiquer sa nouvelle identité? Qui sait? Qui peut définir où commencent les responsabilités envers l'autre et où elles se terminent? Comment les femmes — à qui on a toujours appris à se définir par rapport à leur amour pour les autres — pourraient-elles savoir en toute confiance quand il est temps de crier: «Assez!»?

«Une femme n'en a jamais terminé», tel était le credo que Carole pratiquait vis-à-vis de ses enfants. Maintenant que le dernier quittait la maison, elle continuait à jouer le même drame, mais avec son père. Carole, je le sus plus tard, avait passé toute sa vie à «donner», comme sa mère et sa grand-mère avant elle. Au plus profond d'elle-même, elle se sentait effrayée, coupable de révéler cette partie d'elle-même qu'elle avait si longtemps gardée cachée, celle qui voulait affirmer ses propres besoins et les prendre en main. Carole s'était si longtemps dévouée aux besoins des autres qu'elle avait trahi, ou même peut-être perdu, sa propre identité. Elle était capable de ressentir sa colère, mais ne savait pas l'utiliser pour changer la situation.

Quel que soit notre jugement vis-à-vis de la situation de Carole, cela reste son problème. Cela ne veut pas dire qu'elle soit névrosée, qu'elle ait tort. Cela ne veut pas dire non plus qu'elle soit la «cause» du dilemme. Les règles et les rôles de nos familles et de notre société font qu'il est difficile pour les femmes de se définir indépendamment des désirs et des attentes des autres, et de leurs réactions négatives. Aussi, dès que nous commençons à être plus attentives à la gestion de notre vie personnelle, nous nous sentons angoissées et coupables.

*Mais si nous ne savons pas utiliser notre colère pour nous définir clairement dans toutes nos relations — et pour gérer nos sentiments dès qu'ils naissent — personne ne le fera à notre place.*

## Assumer son propre trouble

Si Carole a demandé mon aide, c'est qu'elle voulait «faire quelque chose» avec son père; elle voulait que je lui dise quoi. Le fond du problème était que Carole — comme beaucoup de femmes — avait eu autour d'elles d'innombrables «conseillers». Sa mère, par exemple, lui avait appris que la femme devait se sacrifier, ne pas tenir compte d'elle-même, être au service des autres. Ses amis lui disaient que l'affirmation de soi était la clef de la libération. «Cesse de dire oui quand tu as envie de dire non», voilà ce qu'elle entendait le plus souvent. Puis elle se persuada que le jour où elle arriverait à prononcer ce mot, elle aurait résolu son problème.

En fait, il fallait que Carole puisse se calmer et ne rien faire, pendant un certain temps tout au moins. Il n'est pas raisonnable de prendre des décisions ou de modifier une relation si nous ressentons de la colère et des sentiments passionnels. En outre, Carole n'avait pas vraiment réfléchi à la situation: elle était bien trop occupée à y réagir!

Pour Carole, il fallait commencer par cesser de critiquer et d'analyser son père. Elle pourrait alors se rendre compte que c'était à elle de prendre de la distance par rapport aux désirs de son père afin de clarifier ses propres valeurs, d'évaluer ses choix et ses priorités, de prendre des décisions sur ce qu'elle voulait ou ne voulait pas faire. Elle pourrait alors comprendre que tout n'est pas clair pour elle, et qu'elle ne sait pas comment résoudre le problème. Il faut savoir assumer notre trouble et notre incertitude: c'est une étape obligatoire.

Ensuite, que faire? Que pouvons-nous faire quand nous réagissons par la colère à des exigences qu'on nous adresse, et quand nous ne voyons pas comment modifier notre comportement? Notre colère est le signe d'un problème, mais elle ne nous donne aucune réponse — même pas d'indices — et ne nous dit pas comment le résoudre. La colère, nous la ressentons, un point c'est tout! En même temps qu'elle nous dit qu'il faut se calmer et réfléchir davantage sur notre identité, elle ne nous facilite pas la tâche.

À ce stade, la tâche de Carole n'est pas de «faire quelque chose» de sa colère, même si critiquer son père et pousser les autres à en faire autant lui apporte un soulagement temporaire, ou au moins une sensation de supériorité morale. Mais à la longue, Carole doit absolument atteindre le stade où ses réactions émotionnelles cesseront de prendre le pas sur la clarté de sa perception d'elle-même. Comment y parvenir? D'abord, elle devra *partager le problème* avec d'autres membres de la famille, y compris son père; puis elle *rassemblera des informations* sur la façon dont d'autres personnes de sa famille — en particulier les femmes — ont résolu ce type de problème.

## «Papa, j'ai un problème»

Quand Carole commença, timidement, à dire à son père qu'elle avait un problème, ce fut un moment d'angoisse intense, le même que pour Margot le jour où elle décida de parler à sa mère. En effet, en exprimant calmement son problème, Carole commençait déjà à modifier le processus de la relation. Voici la conversation:

— Tu sais, papa, j'ai un problème. Je n'arrive pas à trouver l'équilibre entre la responsabilité que j'éprouve envers toi et la responsabilité que j'éprouve envers moi-même. La semaine dernière, je t'ai emmené deux fois faire les courses, je t'ai aussi conduit chez ton médecin. Chaque fois, je me suis sentie tendue, gênée, parce que ce temps que je t'ai consacré, j'aurais aimé en garder un peu pour moi. Mais si je refuse, je finis par me sentir coupable — c'est un peu comme si, tout en faisant ce que j'ai à faire, je devais te surveiller par-dessus mon épaule pour vérifier que tout va bien.

— Eh bien! si je suis une telle charge pour toi, je n'ai plus qu'à rester chez moi, répondit froidement son père.

On aurait dit qu'il avait reçu un coup. Carole s'était préparée aux contre-attaques de son père, aussi était-elle capable de rester ferme, de résister à la tentation de se laisser prendre aux tourments émotionnels habituels.

— Non, papa, répondit-elle. Ce n'est pas cela que je veux. Je ne dis pas que tu es une charge. En fait, j'aimerais bien pouvoir faire comme toi de temps en temps, demander de l'aide aux autres. Mon problème, c'est cette gêne que j'éprouve. Il faut que j'apprenne à déterminer ce que je peux faire pour toi, et à dire non quand je dois penser à moi.

— Carole, tu m'étonnes, dit son père. Ta mère s'est occupée de ses deux parents âgés, et elle ne s'est jamais plainte. Elle ne serait pas fière de toi.

— Oui papa, je comprends.

Carole refusa de mordre à l'hameçon et poursuivit son discours.

— Maman m'a toujours impressionnée d'ailleurs. J'ai constamment eu le sentiment qu'elle était capable de donner toujours plus, sans jamais ressentir de frustration ou de rancœur. Mais je ne suis pas maman. Je suis différente, et je ne me sens pas capable de faire comme elle. C'est vrai, j'imagine que *je suis* plus égoïste qu'elle ne l'était.

Un lourd silence suivit ces paroles. Ce fut le père qui le brisa:

— Eh bien! Carole, à ton avis, que puis-je faire pour résoudre ton problème?

Le ton mi-sarcastique, mi-peiné de la voix était très clair. Un instant, Carole fut tentée, encore une fois, de conseiller son père et de lui expliquer comment il pourrait rencontrer des gens, et utiliser les ressources qui s'offraient à lui. Mais elle savait, par expérience, que cela ne servait à rien. Au lieu de cela, elle continua son raisonnement.

— J'aimerais que quelqu'un puisse résoudre ce problème à ma place et prendre toutes les décisions, mais je sais bien que c'est à moi de le faire.

Carole, songeuse, poursuivit:

— En fait, ce qui m'aiderait beaucoup, ce serait que tu me parles de ce que tu ressens, toi: cela m'aiderait à y voir plus clair. T'es-tu jamais trouvé dans une telle situation? Comment as-tu vécu cela quand maman est tombée malade et qu'il fallait s'occuper d'elle? Qui a décidé de la mettre à l'hôpital? Et toi, qu'est-ce que tu en pensais?

En évoquant directement un problème familial, plutôt que de *réagir* violemment, Carole pouvait désamorcer la bombe tout en abordant le véritable problème. Ainsi, l'angoisse sous-jacente à tous les problèmes émotionnels non résolus diminua et Carole comprit qu'elle était capable de réfléchir objectivement à la situation. En outre, elle commença à s'intéresser à la vie de son père, à son expérience avec ses propres parents. Quand nous avons besoin d'apprendre à réagir plus calmement et de voir plus clair en nous-mêmes, une des meilleures méthodes est de se renseigner et de comprendre comment nos aînés ont traité le problème qui nous préoccupe dans les générations précédentes. En réalité, *avant même* que Carole puisse entreprendre une conversation avec son père de façon aussi ferme, elle fut obligée de se renseigner sur la façon dont on s'était occupé des parents âgés dans les générations précédentes.

## Notre héritage familial

Dans la famille de Carole, quelles sont les femmes qui ont été confrontées à un problème similaire, et comment ont-elles tenté de le résoudre? Comment sa sœur, ses tantes, ses grands-mères ont-elles fait la répartition entre leur responsabilité vis-à-vis des autres et leur responsabilité envers elles-mêmes? Et ont-elles réussi?

Comment se fait-il que Carole ait été celle à qui incomba la seule responsabilité de prendre soin de ses parents âgés? Que pensent ses oncles et tantes maternels de cet arrangement?

Comment les décisions ont-elles été prises, dans les générations précédentes, sur la question de savoir qui allait prendre soin de ceux qui ne pouvaient plus vivre de façon autonome?

Dans une famille, nous ne sommes jamais les premiers à nous trouver confrontés à une situation donnée, même si nous en avons l'impression. Tous, nous héritons des problèmes irrésolus du passé; et toutes nos luttes ont des ancêtres dans les générations précédentes. *Si nous ne connaissons pas notre histoire familiale, nous reproduirons très probablement les schémas du passé, ou bien nous nous rebellerons aveuglément contre eux, sans nous montrer perspicaces quant à notre identité propre, à nos ressemblances et à nos dissemblances avec les autres membres de la famille, et à la meilleure manière de mener la barque de notre vie.*

Pour utiliser notre colère de façon efficace, il faut d'abord acquérir un moi bien défini, et, à cet égard, les femmes sont handicapées dès l'enfance. Mais nous ne saurions espérer concrétiser notre moi, néanmoins, sans tenir le moindre compte des autres individus de notre arbre généalogique. Aucun livre — ni aucun psychothérapeute! — ne pourra nous aider si nous persistons à nous couper de nos racines. La plupart d'entre nous réagissons violemment face aux membres de notre famille — surtout nos mères — mais jamais nous ne leur parlons véritablement, et nous n'avons aucune information sur leur expérience. En fait, nous ne savons pratiquement rien des forces qui ont donné forme à la vie de nos parents, à la nôtre, ou des moyens que nos mères et grands-mères ont utilisés face aux problèmes semblables aux nôtres. Et tant que nous ne savons rien de tout cela, nous ne nous connaissons pas. Tant que nous ne nous connaissons pas, en tant que personnes enracinées dans notre histoire, nous éprouvons des réactions intenses face à toutes sortes de situations qui nous poussent à accuser les autres, à nous éloigner, à nous soumettre passivement, ou tout autre choix inutile.

Ainsi, Carole avait du travail! Elle prit contact avec de nombreux membres de sa famille — surtout les femmes — et se fit raconter leurs expériences et leurs opinions face à des problèmes proches du sien. De ceux qui étaient encore vivants, elle en apprit un peu plus sur ceux qui étaient morts, y compris sa mère. En agissant ainsi, Carole devint capable de replacer son problème avec son père dans un contexte plus large.

Elle découvrit que les femmes de sa famille se répartissaient, en gros, en deux camps: celles qui, comme sa mère, faisaient d'énormes sacrifices personnels pour s'occuper de leurs parents et grands-parents âgés; et celles qui, comme la tante Rita, la sœur de sa mère, s'enfouissaient la tête dans le sable lorsque des membres de leur famille, avec l'âge, ne pouvaient plus vivre de façon autonome. À l'intérieur de ces deux camps, il y avait des factions combattantes. La maman de Carole, par exemple, ne parla plus à sa sœur pendant plusieurs années après la mort de leur mère, parce qu'elle avait le sentiment que Rita n'avait pas fait son devoir. Pour cette dernière, la mère de Carole avait pris des décisions unilatérales et non judicieuses à cet égard. En fait, la charge des parents âgés avait constitué pour les générations précédentes un problème si important qu'il était prévisible que Carole ait du mal à trouver la bonne solution intermédiaire, l'équilibre entre sa responsabilité envers elle-même et celle envers ses parents.

Au fur et à mesure que Carole se rapprochait de sa famille et en apprenait davantage, elle se sentit plus sereine face à sa situation, et fut capable de réfléchir aux nouvelles options qui s'offraient à elle à propos de son père, alors qu'auparavant elle était persuadée qu'il n'y en avait aucune. Il n'existait ni réponses faciles ni solutions indolores. Un jour, Carole résuma ainsi son dilemme: «Quelle que soit la durée de ma thérapie, je continuerai à me sentir coupable chaque fois que je dirai non à mon père. Mais si je persiste à lui dire oui tout le temps, je vais être en colère. Alors, si je veux que cela change, il va falloir que j'apprenne à vivre avec ma culpabilité pendant un certain temps.» Et c'est exactement ce qu'elle fit: elle ressentit un peu de culpabilité, mais elle survécut et bientôt sa culpabilité disparut.

Vus de l'extérieur, les changements apportés par Carole dans sa relation avec son père peuvent paraître négligeables. En effet, elle décida de dîner avec lui deux fois au lieu de trois fois par semaine, et lui dit qu'elle lui ferait ses courses le samedi seulement, et non pas chaque fois qu'il le lui demandait. Elle ne fit pas d'autres changements, mais elle s'en tint à ceux-là, et ils changèrent sa vie. Peu de temps après, son père prit l'initiative d'une autre modification: il se lia avec une femme âgée de son quartier, et ils se mirent à discuter plusieurs heures par jour. Carole, face à cette nouveauté, fut rassurée, mais aussi un peu perturbée. Elle se rendit compte que son souci pour son père avait pris le pas sur le reste de sa vie, et, petit à petit, l'avait aidée à ne pas voir son propre isolement. Elle comprit aussi, du même coup, qu'elle était plus douée pour donner de l'aide que pour en demander.

En réalité, les changements que Carole et son père adoptèrent sont l'élément le moins important de son histoire. Sa solution ne serait pas forcément la meilleure pour vous ou pour moi. Le plus significatif, c'est le travail qu'elle réussit à accomplir dans sa propre famille, et qui lui permit de percevoir l'importance de son lien avec ses racines, et de sa personnalité autonome. Ainsi, elle put utiliser sa colère comme un tremplin pour *réfléchir* à la situation plutôt que de demeurer la victime. Nous allons voir à quel point il est difficile d'être clairvoyant à propos de ces questions: «De quoi suis-je responsable?» «De quoi ne suis-je pas responsable?»

## CHAPITRE VII

# Qui est responsable de quoi?

## *La question la plus difficile*

C'était le printemps, j'assistais à une conférence à New York. J'étais dans le bus avec deux collègues; nous allions au Metropolitan Museum. Je ne connaissais plus trop bien la ville, et mes deux camarades, Celia et Jeannet, se sentaient comme des étrangères dans un pays exotique. Peut-être à cause de notre angoisse face à la grande ville, nous demandâmes plusieurs fois — une fois de trop! — au chauffeur du bus d'annoncer notre arrêt. Soudain, il entra dans une fureur noire, complètement inattendue, et se mit à nous interpeller violemment: tous les passagers nous regardaient. Toutes les trois, nous étions muettes de surprise.

Plus tard, en buvant un café, nous échangeâmes nos réactions face à cet incident. Celia se sentait un peu triste. Cela lui rappelait la violence de son ex-conjoint; en plus, cette semaine-là marquait l'anniversaire de son divorce. Jeannet était en colère, mais cela se dissipa lorsqu'elle commença à imaginer les répliques cinglantes que nous aurions pu faire aux attaques du chauffeur. Quant à moi, j'éprouvais de la nostalgie. Je m'étais tellement ennuyée de New York que j'étais presque soulagée de retrouver cette brutalité qui contrastait formidablement avec la politesse qui était de règle dans la région où j'habitais. Cet incident était en quelque sorte un «souvenir new-yorkais» que j'allais pouvoir rapporter chez moi.

Réfléchissons un instant. Sans aucun doute, le conducteur s'est mal comporté. Mais est-il pour autant responsable de nos trois réactions? Est-il la *cause* de la tristesse de Celia, de la colère de Jeannet? Est-ce à *cause de lui* que j'éprouvai de la nostalgie pour mon passé? Et si l'une d'entre nous avait réagi en se jetant du haut du pont de Brooklyn le soir même, aurait-il été responsable de sa mort? Et, si nous adoptons une autre perspective, étions-nous responsables de son éclat de colère?

Il est fort tentant de ne voir dans les rapports humains que de simples rapports de cause à effet. Si nous sommes en colère, quelqu'un a *provoqué* cette colère. Ou bien, si nous sommes la cible de la colère de quelqu'un, ce doit être *notre faute;* ou encore — si nous sommes convaincues de notre innocence — nous conclurons peut-être que l'autre n'a *aucun droit* de se mettre en colère. Plus nos relations familiales primitives étaient de type fusionnel (ce type de relation où le «je» individuel se fond dans le «nous» communautaire), plus nous avons l'habitude d'assumer la responsabilité des sentiments des autres et de leurs réactions, plus nous les rendons responsables des nôtres. («Tu culpabilises Maman.» «Tu donnes des migraines à Papa.» «C'est sa faute si son conjoint s'est mis à boire.»)

Mais les rapports humains ne fonctionnent pas comme cela. Nous ne pourrons utiliser notre colère comme outil de changement que lorsque nous serons capables de partager nos réactions sans considérer l'autre comme responsable de nos sentiments, et sans nous accuser des réactions des autres à nos décisions et à nos actes. Nous *sommes* responsables de notre comportement. Mais nous *ne sommes pas* responsables des réactions des autres; et ils ne sont pas responsables des nôtres. Souvent, les femmes inversent l'ordre: *nous consacrons notre énergie à prendre la responsabilité des pensées, des sentiments et du comportement des autres, et à leur laisser la responsabilité des nôtres.* Quand nous agissons ainsi, il devient difficile — sinon impossible — de changer les vieilles règles qui régissent une relation.

Pour illustrer cela, revenons au problème de Carole et de son père veuf, dont elle disait au départ qu'il était trop exigeant et qu'il la culpabilisait. Si elle a l'impression que c'est son père qui, de façon unilatérale, provoque sa colère ou sa culpabilité, elle est dans une impasse. Elle se sent désemparée et impuissante parce qu'elle ne peut pas le changer. De même, si Carole prend la responsabilité de provoquer les sentiments et les réactions de son père, elle est coincée. Pourquoi? Parce que si Carole opère un changement dans le *statu quo*, son père réagira émotionnellement à son nouveau comportement. Si elle se sent responsable de ses nouvelles réactions, elle reviendra à l'ancien schéma afin de protéger son père (et elle-même) de la gêne et de sauvegarder la même vieille relation («Mon père s'est mis dans une telle colère quand je lui ai dit que je ne pouvais rien faire d'autre.»). Dans ce cas, la situation est désespérée.

Pourquoi la question de la responsabilité est-elle si difficile à résoudre pour les femmes? C'est qu'on ne les a jamais encouragées à prendre la responsabilité de résoudre leurs propres problèmes, de prendre leurs propres décisions, et de contrôler la qualité et le style de leur vie. Comme nous ne nous sentons guère responsables de notre vie, nous accusons les autres de ne pas être capables de combler notre vide ou de nous rendre heureuses — ce qui n'est pas leur rôle. En même temps, nous nous sentons responsables de tout ce qui se passe autour de nous. Nous sommes promptes à nous laisser accuser des peines et des problèmes des autres, promptes à accepter le verdict de «coupable». Par là même, nous nous mettons à croire que nous *pouvons* éviter les problèmes pour peu que nous fassions l'effort nécessaire. En réalité, la culpabilisation et l'auto-accusation sont de véritables épidémies féminines. Une de mes collègues m'a raconté l'histoire d'une femme qui s'était arrêtée sur une pente de ski pour admirer le paysage. Elle fut heurtée par un skieur imprudent qui, apparemment, ne l'avait pas vue. «Dé-so-lée», lui cria-t-elle, allongée par terre, alors que le skieur poursuivait son chemin.

Dans ce chapitre, nous verrons comment la confusion engendrée par la question de la responsabilité peut être à l'origine d'une auto-accusation stérile, et de l'accusation des autres, et contribuer à bloquer la situation. Comment pouvons-nous assumer plus de responsabilités pour nous-mêmes et moins pour les pensées, les sentiments et le comportement des autres? À ce stade de la lecture, vous devriez être un peu plus clairvoyante qu'au début; néanmoins, poursuivons l'exercice et examinons les éléments de cette question troublante. Et rappelez-vous que prendre la responsabilité de soi-même, ce n'est pas seulement définir son moi, mais aussi observer et modifier le rôle que nous jouons dans les schémas relationnels qui nous bloquent. Dans ce chapitre, nous aurons l'occasion d'examiner de près les schémas de *sur-fonctionnement/sous-fonctionnement*.

## La crise de minuit

Jeanne et Stéphanie vivent ensemble depuis huit ans. Elles ont un berger allemand qui fait partie de la famille. Un soir, le chien les réveille à minuit: à l'évidence, il est gravement malade. Pour Stéphanie, la gravité de la situation justifie l'appel du vétérinaire. Pour Jeanne, cela peut attendre le matin. Elle accuse Stéphanie d'être trop sensible et de se faire du souci.

Au réveil, elles s'aperçoivent que le chien va très mal.

— Vous auriez dû me téléphoner tout de suite. Votre chien a bien failli mourir, leur dit le vétérinaire.

Stéphanie se met en colère contre Jeanne.

— Si quelque chose était arrivé, ç'aurait été *ta faute!*

Que pensez-vous de cette situation?

Comment auriez-vous réagi à la place de Stéphanie?

À votre avis, quelle est la part de responsabilité de chacune dans la colère de Stéphanie? Même si nous comprenons sa colère, il n'en reste pas moins qu'elle ne sait pas trop qui est responsable de quoi. Analysons la situation.

Jeanne a fait ce qu'elle avait à faire, à savoir clarifier *son* opinion et agir en conséquence. À son avis, l'état du chien ne justifiait pas un appel immédiat du vétérinaire. Stéphanie aussi aurait dû clarifier son opinion et agir en conséquence. Or elle ne l'a *pas* fait. Elle pensait que le chien devait être soigné immédia-tement, et pourtant elle n'a pas appelé le vétérinaire.

Attention! cela ne veut pas dire que la colère de Stéphanie soit injustifiée. Elle est en colère, un point c'est tout. Peut-être est-elle courroucée parce que Jeanne a minimisé ses craintes, ou agi comme une «je-sais-tout». Néanmoins, c'est Stéphanie, et non pas Jeanne, qui est responsable de ses propres actes.

— Mais vous ne connaissez pas Jeanne! me dit-elle.

Stéphanie m'expliqua plus tard la chose suivante:

— Je n'ai pas appelé le vétérinaire parce que si je l'avais fait et que cela s'était révélé superflu, j'en aurais entendu parler jusqu'à la fin des temps. Si j'avais réveillé le vétérinaire en pleine nuit pour rien, Jeanne m'aurait harcelée pendant des semaines, et elle aurait eu une autre raison de me traiter de névrosée. J'adore Jeanne, mais elle n'est pas facile à vivre! Elle est telle-ment sûre d'elle qu'elle me fait douter de mes propres opinions!

Lorsqu'elle parle ainsi, Stéphanie persiste à rendre Jeanne responsable de ses propres actions.

Bien sûr, tant que Stéphanie ne commencera pas à affirmer son identité, Jeanne réagira violemment — surtout si elle a pris l'habitude de jouer dans le couple le rôle du partenaire dominant dans toutes les situations où il faut prendre des décisions. Mais si Stéphanie est capable de se tenir sur ses positions sans prendre de distance ni faire monter la tension, il y a de fortes chances pour qu'au bout d'un certain temps Jeanne devienne capable de gérer convenablement ses sentiments et ses réactions.

Quelles sont les mesures à prendre si nous voulons traduire notre colère et la transformer en un sens des responsabilités qui engendrera des relations plus efficaces avec les autres? Dans le cas de Stéphanie, en voici quelques-unes: l'observation, la clari-fication du schéma relationnel, la recherche d'informations.

## L'observation

Mettez-vous dans la peau de Stéphanie. Vous êtes en colère — pas seulement à cause de l'histoire du chien, mais aussi à cause du schéma relationnel que cet incident a révélé. Quelle sera votre prochaine action?

Si vous voulez parvenir à une plus grande clarté quant à la responsabilité de chacune, vous allez commencer par *observer attentivement* le scénario d'interactions qui a abouti à votre colère et à votre émotion. Par exemple, Stéphanie observera que bien souvent, dans cette relation, la prise de décision s'effectue ainsi:

Il se produit un incident qui nécessite une prise de décision. Stéphanie réagit tout d'abord en formulant une opinion de façon un peu timide. Ensuite, Jeanne affirme sa propre position, qui peut être différente, de façon très confiante. Alors, Stéphanie commence à douter du bien-fondé de sa propre opinion, ou bien conclut, tout simplement: «Cela ne vaut pas la peine de se battre.» Dans les deux cas, elle se range à l'opinion de Jeanne. Bien souvent, ce schéma fonctionne parfaitement pour Jeanne et Stéphanie, et tout va pour le mieux dans le meilleur des mondes. Mais quand la situation suscite stress et angoisse, Stéphanie se met en colère contre Jeanne si les résultats de sa décision ne sont pas à son goût. Alors, Stéphanie s'éloigne de Jeanne, ou elle critique sa décision. Dans ce dernier cas, il s'ensuit une dispute, et le lendemain, généralement, tout est rentré dans l'ordre.

## Clarifier le schéma relationnel

Même si elle l'exprime autrement, Stéphanie est en train de reconnaître un schéma de sur-fonctionnement/sous-fonctionnement dans le domaine de la prise de décision. Plus Jeanne *surfonctionne* (elle prend les décisions pour deux, n'éprouve aucun doute sur la justesse de son jugement, se comporte comme si elle n'avait nullement besoin de l'aide ou de l'avis de Stéphanie), plus Stéphanie *sous-fonctionne* (elle se désintéresse du sujet ou s'abstient de toute action dès qu'il faut prendre une décision; elle compte sur Jeanne, se sent paresseuse ou incompétente). Et vice versa.

Il est déjà bien difficile de rassembler les données qui décrivent un schéma relationnel quand tout va bien. Mais lorsque nous nous trouvons emportées dans un tourment émotionnel intense, dans un comportement d'accusation, cela devient presque impossible. Nous avons vu que les femmes jouent souvent le rôle de «réactifs» dans le domaine émotionnel, surtout lorsque la situation est porteuse de stress; il faut donc qu'elles soient capables de faire un effort conscient pour réagir moins violemment afin de pouvoir se concentrer sur la recherche d'informations.

## La recherche d'informations

Stéphanie se rendrait un grand service si elle faisait une enquête sur la manière dont son schéma relationnel avec Jeanne s'adapte à sa tradition familiale. Par exemple, comment les parents de Stéphanie, et ses grands-parents, négociaient-ils les problèmes de prise de décisions? Dans la famille de Stéphanie, quels sont les couples où le pouvoir était équilibré et ceux où l'un des partenaires détenait, aux yeux des autres, toute la compétence? Comment la relation de Stéphanie avec Jeanne peut-elle se comparer avec celle qu'avaient ses parents dans le domaine de la prise de décision? Y a-t-il eu d'autres femmes dans la famille de Stéphanie qui ont dû se battre pour ne plus sous-fonctionner, et ont-elles réussi? Comme nous l'avons vu dans l'histoire de Carole, nos conflits relationnels font souvent partie d'un héritage familial conçu bien avant notre naissance. Si nous nous familiarisons avec cet héritage, nous acquerrons une certaine objectivité qui nous permettra de mieux juger notre comportement relationnel.

L'ordre des naissances dans la famille est un facteur d'influence important en ce qui concerne nos relations. Dans le cas de Jeanne et Stéphanie, leur schéma relationnel correspond tout à fait à leur position dans la famille. Jeanne est l'aînée de deux sœurs. Dans une telle situation, l'aînée assume tout naturellement le rôle de celle qui prend les décisions, et elle est intimement persuadée de savoir ce qui est bon non seulement pour elle-même, mais pour l'autre. Stéphanie est la cadette de deux sœurs, et, comme bien souvent dans cette situation, elle a tendance à attendre qu'on fasse les choses à sa place. Même si elle se bat férocement avec son aînée, elle refusera la position de leader si on la lui offre. Examinez la position que vous occupez dans la famille: c'est tout simple, mais vous verrez à quel point cela peut être révélateur, et combien cette position peut influencer votre comportement. Stéphanie a bien du mal à prendre les choses en main, mais Jeanne a bien du mal à ne pas les prendre en main: quand toutes deux auront pris conscience de la situation, il leur sera beaucoup plus facile de gérer la situation, d'y mettre un peu plus d'humour, un peu moins d'accusation.

## À qui appartient le problème?

Supposons que Stéphanie, après l'incident du chien, se soit comportée de la façon suivante. Elle a abandonné son attitude accusatrice, elle a commencé à réfléchir réellement au problème, plutôt que de se contenter d'y réagir. Puis elle a bien analysé le rôle de chacune: qui fait quoi, à quel moment, dans quel ordre. Ensuite, elle a essayé de comprendre en quoi le schéma correspondait aux traditions de sa famille. Enfin, elle a conclu qu'elle se trouvait dans une situation de dépersonnalisation, et que sa colère signifiait qu'elle éprouve le besoin d'un plus grand équilibre dans la relation en ce qui concerne la prise de décision.

Les paroles qui suivent reflètent deux modes d'utilisation de notre colère. Dans le premier, on suppose que c'est Jeanne qui a un problème, et que c'est à elle de le prendre en main. Dans le second, on suppose que c'est Stéphanie.

### MODE 1

«Jeanne, tu es tellement sûre de toi! C'est impossible de discuter avec toi: tu as toujours raison, tu n'écoutes pas vraiment ce que je dis, tu n'es pas ouverte. Tu affirmes tes convictions avec tellement d'énergie qu'il est impossible d'en parler. J'en ai vraiment assez de ton attitude "je-sais-tout". Chaque fois que j'exprime une opinion, tu te prends pour Dieu, c'est toi qui décides de sa validité. À la fin, je ne sais même plus ce que je pense. Chaque fois, c'est toi qui finis par décider, tu me manipules pour parvenir à tes fins.»

### MODE 2

«Tu sais Jeanne, j'ai bien réfléchi à notre problème. À mon avis, cela vient du fait que j'ai du mal à prendre des décisions et à assumer les problèmes. L'autre nuit, je n'ai pas appelé le vétérinaire parce que quand j'ai vu que tu étais tellement sûre de toi, je me suis mise à douter de ma propre opinion. Tu as commencé à me critiquer, à dire que je me faisais toujours trop de souci — et j'ai horreur de ça. Alors j'ai réagi en capitulant. Je sais, j'agis souvent ainsi. Je suis bien décidée à ce que cela change: je vais vraiment essayer de prendre mes propres décisions, et de m'y tenir. Je ferai sûrement des erreurs, et, certainement, notre relation va en souffrir pendant un certain temps. Mais cela ne peut pas continuer ainsi. Je sais aussi que dans ma famille, les femmes n'ont pas trop l'habitude de prendre des décisions — alors ce ne sera sûrement pas facile pour moi.»

Que pensez-vous du mode 1? Certaines relations se nourrissent d'affrontements. Chez bien des personnes, les disputes et les réactions violentes sont un aspect intéressant, piquant de la relation. Pour autant que nous le sachions, Jeanne pourrait réagir au mode 1 en réfléchissant et en disant: «Tu sais, on m'a déjà dit cela. Tu as sûrement un peu raison. Je suis désolée, je vais essayer de me surveiller.»

Mais ce dialogue reflète bien le fait que Stéphanie ne sait pas trop que penser de cette question de responsabilité individuelle. Avez-vous trouvé le problème? Elle rend Jeanne responsable de son comportement, ce qui n'est que juste; mais elle la rend aussi responsable de son propre comportement, ce qui n'est pas juste du tout. Dans une relation importante, de tels procédés engendrent un flou qui brouille les limites entre les deux personnes.

Et le mode 2? Là, Stéphanie partage ce qu'elle ressent, et ne se prend plus pour une experte sur le cas de Jeanne. Elle évoque son dilemme personnel dans la relation, elle assume ses responsabilités pour le rôle qu'elle y joue. Le mode 1 risque de mener à une escalade dans une situation déjà angoissante; le mode 2, quant à lui, calmera probablement quelque peu les esprits et permettra aux deux protagonistes de voir les choses avec davantage d'objectivité.

Quel est le mode qui convient le mieux à votre personnalité? Dans mon cas, tout dépend du type de la relation. Avec mon conjoint, il m'arrive de dissiper les tensions avec des paroles de type 1; cela m'arrive de moins en moins souvent. En revanche, quand il s'agit de relations professionnelles ou de personnes que je vois peu, je me sens plus à l'aise dans le mode 2; je le trouve plus efficace. Tout dépend des circonstances, des objectifs à atteindre, et de votre expérience personnelle.

Bien sûr, le plus important n'est pas ce que Stéphanie dit à Jeanne, mais ce qu'elle fait. La première fois, peut-être Stéphanie écoutera-t-elle Jeanne, peut-être réfléchira-t-elle à son point de vue, puis prendra-t-elle sa propre décision. Bref, le style de communication de Stéphanie n'aura pas beaucoup d'importance si elle ne cesse pas de sous-fonctionner.

Au fur et à mesure que nous identifions mieux nos schémas relationnels, nous nous trouvons confrontées à un étrange paradoxe: d'une part, nous devons prendre la responsabilité de nos pensées, de nos sentiments et de notre comportement, et prendre conscience que les autres sont responsables de leur vie de la même manière. D'autre part, la façon dont nous réagissons face aux autres est directement liée à la façon dont ils réagissent face à nous. Il est impossible de ne pas influencer un schéma relationnel. Une fois qu'une relation est bloquée dans un schéma circulaire, tout le cycle changera lorsqu'une personne aura pris la décision de modifier sa propre participation au schéma.

Mais assumer nos responsabilités ne signifie pas que nous devions adopter une position d'auto-accusation ou de culpabilisation. Apprendre à observer et à modifier notre comportement est un processus d'amour de soi qui ne saurait réussir dans un contexte d'auto-accusation ou d'autocritique. De telles attitudes ne font bien souvent que compromettre notre aptitude à observer les schémas relationnels. Parfois même, elles font partie d'un jeu dont le but inconscient est de préserver une relation où l'autre domine.

Ce n'est que si nous sommes dignes et fortes que nous pouvons nous dire, ou dire aux autres: «Je connais mon rôle dans cette relation, et je vais m'efforcer de le changer.» Ne croyez pas qu'une telle attitude désoriente l'autre. Bien au contraire, en lui montrant notre autonomie, en lui prouvant que nous assumons seules la responsabilité de notre identité et de notre vie, nous lui offrons la possibilité d'agir de même.

## Qui fait le ménage?

Après d'innombrables disputes avec son conjoint à propos du ménage, Lisa décida de stopper le processus et de tirer au clair son propre problème. Elle choisit un moment de calme relatif et d'intimité pour en parler.

— Richard, le ménage me pose vraiment un problème, dit-elle. Si j'en fais plus que la moitié, cela me met en colère, j'éprouve de la rancœur parce que j'ai l'impression d'en faire davantage que ma part. En plus, je suis épuisée. Le problème est que je suis toujours fatiguée. Il faut que je trouve le moyen de préserver mon énergie et de prendre plus de temps pour moi.

Puis elle lui dit ce qu'elle attendait de lui très précisément. Elle s'abstint de le critiquer, de le sermonner et de lui dire ce qu'un homme bien devrait faire; elle se contenta de partager avec lui un problème qui la faisait de plus en plus souffrir.

— Je ne comprends pas, répliqua Richard. Les autres femmes se débrouillent très bien.

— Je ne suis pas les autres femmes, répondit Lisa d'un ton léger. Je suis moi.

Quelques mois plus tard, Richard se contentait de sortir les ordures ménagères et d'entretenir la cour. Lisa était toujours mécontente. Nous parlions toutes les deux, et je me rendis compte qu'elle n'avait rien modifié dans son comportement. Comme d'habitude, elle recevait les collègues de Richard, elle s'occupait de son linge, elle faisait la cuisine, la vaisselle, nettoyait son bureau. Dans les mots, Lisa disait: «Je suis fatiguée, je t'en veux, il faut faire quelque chose.» Mais ses actes préservaient le *statu quo*. Elle n'assumait pas la responsabilité de son problème.

Pourquoi devrait-elle le faire, me direz-vous? C'est Richard qui devrait changer. N'est-ce pas à lui de se comporter de façon équitable et correcte envers sa femme? Lisa passe sa vie à essayer de changer la situation — c'est bien le tour de Richard!

Vous avez peut-être raison, peut-être même suis-je d'accord avec vous. Mais là n'est pas la question. Pour Richard, la situation ne constitue pas un problème. Il est satisfait, tout va bien, il n'éprouve aucun besoin de changement. Si Lisa ne s'occupe pas de *son* problème, personne ne le fera à sa place, même pas son conjoint.

Un jour, Lisa ne put en supporter davantage; alors, elle décida d'accorder ses actes et ses mots. Elle commença par concevoir un plan. Elle dressa une liste des tâches qu'elle continuerait à accomplir (s'occuper du salon et de la cuisine, par exemple, car c'était très important pour elle que ces deux pièces soient présentables), et une liste de celles qu'elle cesserait d'assumer. Elle espérait que Richard prendrait ces dernières en charge, mais décida que dans le cas contraire, elles ne seraient tout simplement pas faites. Puis elle soumit son plan à son conjoint et le mit en application.

Lisa resta ferme sur ses positions. Pendant deux mois, Richard la mit à l'épreuve en en faisant encore moins que d'habitude. Lisa continua donc à en faire plus que sa part, parce que pour elle, une maison présentable comptait plus que pour Richard. Mais elle trouva d'autres moyens d'économiser son temps et son énergie. Trois soirs par semaine, elle prépara des sandwiches pour elle et les enfants, laissant son conjoint se débrouiller tout seul quand il rentrait du travail. S'il invitait ses copains à dîner, elle ne faisait pas les courses, elle ne faisait pas la cuisine, mais, de bonne grâce, elle l'aidait. En résumé, elle répartit son énergie au mieux.

Pour Lisa, il fallait agir de façon responsable vis-à-vis d'elle-même, et non pas ennuyer Richard. Si elle s'était mise en grève, ou si vraiment elle avait voulu «dresser» son conjoint, il est vraisemblable qu'il en aurait résulté une aggravation de la situation.

Pour terminer, j'ajouterai que Richard innova lui aussi; Lisa, elle, réagit par des contre-attaques: quand il prit l'initiative d'accomplir certaines tâches, elle lui donna des conseils qu'il ne demandait pas et le critiqua dans son travail. Si vous demandez à quelqu'un de faire davantage de travaux ménagers et qu'ensuite vous lui dites: «Tu ne le fais pas aussi bien que moi», *vous bloquez tout changement*. Si Lisa est sincèrement désireuse de voir Richard participer davantage à l'entretien de la maison, il faut qu'elle le laisse agir comme il l'entend et qu'elle consente à lui abandonner un peu de contrôle sur cet aspect des choses. Si elle veut qu'il cesse de sous-fonctionner, il lui faut cesser de sur-fonctionner. À l'évidence, Richard ne fera jamais le ménage aussi bien qu'elle. Mais si Lisa se montre capable de le laisser agir *à son idée* et de ne lui donner son avis que s'il le demande, il y a de bonnes chances pour que les talents de Richard s'améliorent avec le temps.

Quand Richard se mit à changer, Lisa eut un autre problème: non seulement elle voulait qu'il s'occupe plus de la maison, mais en plus, elle aurait voulu qu'il le fasse *de bon cœur*. «Hier soir, il a fait la vaisselle, puis il a passé le reste de la soirée à pester et à bouder. Vraiment, ce n'est pas la peine.»

Là encore, on voit bien que Lisa n'est pas à l'aise devant le changement qu'elle a voulu déclencher. Richard peste et boude: c'est son problème, pas celui de Lisa. Personne n'est jamais mort de «bouderie aiguë». Mais les femmes ont tellement l'habitude de jouer les infirmières des sentiments qu'elles ont bien du mal à laisser les autres gérer leurs propres émotions. Si Lisa peut éviter de se montrer distante et critique, si elle peut laisser Richard libre de bouder tant qu'il veut sans y faire attention, il cessera bientôt. Mais quand elle dit «Vraiment, ce n'est pas la peine», c'est son problème à elle: on voit alors combien il est difficile de modifier un schéma relationnel installé depuis longtemps.

Il est d'ailleurs parfaitement normal que Lisa ait du mal à lâcher un peu de ses responsabilités dans un domaine traditionnellement dévolu à la compétence et à l'autorité féminines. Quand Lisa s'occupe de la maison, elle renoue un lien avec sa mère, ses grands-mères, toutes les femmes qui l'ont précédée. Cela fait partie de son héritage et de sa tradition. En outre, il faut dire que l'entretien de la maison est une tâche importante — même si elle est souvent décriée. Bien sûr, le ménage est ennuyeux, et la vie quotidienne devient plus agréable si on peut le partager; néanmoins il est compréhensible que Lisa éprouve quelques difficultés à «déléguer». Peut-être aussi ne dispose-t-elle pas de beaucoup d'autres zones de compétence.

Dernière question: si Lisa veut vraiment le changement, pourquoi ne recourt-elle pas directement à l'affrontement? Pourquoi ne donne-t-elle pas de la voix pour se faire comprendre? *Rien ne l'empêche de se disputer, du moment que la dispute lui permet de se sentir mieux, et que cela fait partie d'un processus qui lui procurera une certitude: plus jamais elle n'agira comme avant. Dans* ce type de bataille, l'élément le plus important n'est pas la dispute ou le ton de la voix; c'est l'intime conviction que nous ne voulons plus sur-fonctionner.

## Le sur-fonctionnement émotionnel: un apanage féminin

Dans les chapitres précédents, nous avons vu que la dépersonnalisation et le *sous-fonctionnement* étaient recommandés aux femmes. Alors, évidemment, lorsque nous découvrons un domaine dans lequel nous sur-fonctionnons, nous nous y investissons pleinement, tout en nous plaignant, comme le fait Lisa pour les tâches ménagères. Quels sont les autres domaines de sur-fonctionnement des femmes?

Souvent, dans les relations, les femmes sur-fonctionnent en adoptant une attitude de «secouriste» ou de «réparatrice». Nous nous comportons comme s'il était de notre devoir de former les autres ou de résoudre leurs problèmes, et, pis encore, comme si c'était en notre pouvoir. Nous réagissons donc à toutes les actions des autres, et nos émotions vont de l'agacement à la rage ou au désespoir. Et quand nous comprenons que nos tentatives pour être secourables ne servent à rien, nous arrêtons-nous? Bien sûr que non! Comme nous l'avons vu dans l'histoire de Sandra et Laurent, nous redoublons d'efforts infructueux. Cela nous mène à une colère croissante envers un individu sous-fonctionnant que nous ne parvenons pas à modeler.

Il nous est presque impossible de maintenir le niveau d'autonomie nécessaire pour laisser à l'autre suffisamment d'espace pour gérer sa propre douleur et résoudre ses problèmes d'équilibre entre autonomie et communauté; ils ont tendance à réagir à l'angoisse par la distanciation émotionnelle et le désengagement (à sacrifier le «nous» en faveur du «je»), tandis que les femmes, elles, réagissent par un besoin de fusion et de sur-fonctionnement émotionnel (elles sacrifient le «je» en faveur du «nous»). Une telle répartition des rôles sexuels n'a rien de surprenant. Notre société dévalorise l'importance des relations intimes pour les hommes et valorise leur isolement émotionnel et leur manque de lien. Les femmes, quant à elles, reçoivent un message bien différent qui les encourage à se pencher sur les problèmes des autres, plutôt que de se consacrer aux leurs.

*Lorsque nous ne consacrons pas assez d'énergie à la résolution de nos propres problèmes, nous endossons ceux des autres.*

Pourquoi d'ailleurs serait-il répréhensible d'endosser les problèmes des autres? À certains égards, ce n'est pas foncièrement nuisible. Depuis des générations, les femmes ont acquis leur identité et l'estime des autres en s'investissant dans la protection, l'aide et le réconfort. Il est exact que la capacité de s'intéresser à l'autre, de l'aimer, de l'aider, de contribuer à son épanouissement est une vertu aussi bien pour les hommes que pour les femmes. Mais quand nous réagissons de façon excessive aux problèmes des autres, quand nous prenons la responsabilité de choses dont nous ne sommes pas responsables, et quand nous voulons contrôler des choses qui ne sont pas en notre pouvoir, nous avons un problème. Quand nous sur-fonctionnons à la place d'un autre, nous finissons immanquablement par éprouver de la colère. Du coup, nous n'aidons plus personne.

La saga du sur-fonctionnement est particulièrement bien illustrée par l'histoire de Louise et de son frère. Rappelez-vous que cette histoire pourrait tout aussi bien concerner Louise et son grand-père, Louise et sa belle-sœur, Louise et son ami.

## Mon frère est dans une situation épouvantable!

— Ne me croyez pas égoïste ou dure, me dit Louise après s'être exprimée comme si elle s'apprêtait à désavouer son jeune frère Bernard. Je me fais du souci à son sujet parce que vraiment il ne va pas bien. Mais je suis en colère après lui. Il y a deux choses qui me mettent hors de moi. Quand il a un gros problème, il m'appelle, il me demande mon avis, il veut de l'argent. Puis il dépense l'argent — qu'il ne rend jamais — et néglige complètement mon avis. Je l'ai envoyé chez deux psychologues, mais il n'a pas voulu continuer la thérapie. J'ai essayé de lui faire lire des livres pour l'aider à s'en sortir. Je lui parle chaque fois qu'il me téléphone et je le conseille. Il écoute, mais il ne suit jamais mes conseils. J'ai bien essayé l'affrontement, mais cela ne marche pas non plus. J'ai l'impression qu'il m'exploite, cela me met en rage. Et pourtant, c'est mon frère, je ne peux pas le laisser tomber. Mes parents ne veulent plus le voir, il n'a nulle part où aller.

Comment décrire ce type de relation? Bernard téléphone, c'est un appel au secours. Louise vole à son aide. Bernard garde ses mauvaises habitudes, et bientôt cela recommence. Louise essaie de l'aider, ou bien elle se montre dure, mais chaque fois elle persiste à vouloir éduquer son petit frère (qui a vingt-quatre ans aujourd'hui). Rien à faire. Louise se met en colère, le cycle continue.

Qui est à l'origine de ce manège? J'espère qu'après avoir lu plus de la moitié de ce livre, vous n'en êtes plus à vous poser ce genre de questions. Les relations sont circulaires, et non pas linéaires. *Une fois qu'un schéma relationnel s'installe, il est perpétué par les deux protagonistes.*

Alors, quel rôle joue Louise? Plus elle sur-fonctionne, plus Bernard sous-fonctionne — ce qui signifie que plus Louise aide son frère, plus ce dernier aura besoin d'aide. Moins Louise montre ses doutes, sa vulnérabilité ou son incompétence à Bernard, plus il les exprime pour deux. Plus Louise s'émeut des problèmes de Bernard, moins il prend soin de lui. Il est vrai que l'attitude responsable de Louise a des aspects positifs. Toutefois, en agissant ainsi, elle empêche son frère d'acquérir ses propres compétences.

Est-ce que cela signifie que Louise est responsable des problèmes de son frère? Pas du tout! Ce n'est pas sa faute si Bernard est incapable de gérer sa vie, ce n'est pas la faute de Bernard si Louise vient à son secours. Les deux rôles trouvent leurs racines dans les schémas familiaux qui remontent à des générations. Chacun est responsable de son propre comportement, et le comportement de Louise représente 50 p. 100 du problème dont elle se plaint. À votre avis, que devrait faire Louise pour changer la situation?

Et si elle partageait son problème avec Bernard sans pour autant l'accuser? Elle pourrait profiter d'un moment d'accalmie et lui dire: «Quand tu me demandes mon avis, et mon argent, je te les donne. Mais après, quand je m'aperçois que ça n'a servi à rien, je t'en veux. Peut-être que c'est à cause de mon désir de t'aider. Mais je ne veux pas que cette situation se prolonge. Cesse de me demander de l'argent si tu sais que tu ne pourras pas me le rendre. Et surtout, ne me demande pas mon avis si tu sais que tu ne le suivras pas.»

Un tel discours serait inutile puisqu'il ne modifierait en rien le schéma. Néanmoins, ce type de communication est préférable à un discours d'accusation («Bernard, tu n'es qu'un psychopathe, un profiteur irresponsable, tu me manipules.») ou à une interprétation de ses motivations («Tu te sers de moi.»). Mais si Louise veut vraiment modifier le processus de sur-fonctionnement/sous-fonctionnement, *il va falloir qu'elle cesse de sur-fonctionner*. Comment faire?

## Apprendre à ne plus être secourable

Si Louise veut modifier le processus, elle doit cesser de se montrer secourable. Cela paraît simple, et pourtant, pour tous ceux qui sont persuadés qu'ils sont sur terre pour sauver les autres et les éduquer, c'est la chose la plus difficile du monde.

Comment y parvenir? Voici un exemple:

Louise reçoit un appel de détresse de Bernard. Elle écoute, compatit, pose des questions. Puis elle dit, calmement: «Eh bien, tout va mal, il me semble. J'en suis navrée pour toi.»

Si Bernard lui demande de l'argent, elle répond: «Non, j'ai décidé que je ne te prêterais plus d'argent. Il se trouve que j'ai plein de choses à acheter, et que j'ai besoin de mes économies. Tu te débrouilles.»

Si Louise peut y mettre un peu d'humour et de chaleur, c'est encore mieux. Par exemple, si Bernard répond: «Quelle égoïste tu es», elle peut répliquer: «C'est vrai, tu as raison. Ça doit être l'âge!»

Si Bernard lui demande un conseil, Louise se mordra la langue et dira: «Vraiment, je ne sais pas quoi te dire», ou bien: «J'aimerais bien pouvoir t'aider, Bernard, mais je ne sais vraiment pas comment.» Puis elle lui parlera de ses problèmes à elle et pourra même demander à Bernard ce qu'il en pense. Elle peut aussi dire qu'elle est certaine que Bernard est capable de trouver une solution: «Je sais que cela fait longtemps que tu essaies de résoudre tes problèmes, et je suis sûre que tu vas y arriver, tu es un gars intelligent.»

Pour réussir, il faut trouver le juste équilibre entre l'autonomie et la communauté. Ce n'est pas si facile. Si le ton de Louise veut dire: «N'essaie pas de m'impliquer dans cette histoire,

ce n'est pas mon problème», elle montre encore une fois une réaction émotionnelle, une distanciation, et le schéma reste ce
qu'il était. Si elle dit: «Non, je ne te donnerai ni conseils ni argent parce que ce n'est pas bon pour toi», elle reste fidèle à sa
vieille attitude de thérapeute. Pour apprendre à ne plus être secourable, il faut prendre conscience du fait que nous ne connaissons pas les solutions aux problèmes des autres. En fait, nous ne
sommes pas toujours capables de résoudre les nôtres.

## Les conseils sont-ils nuisibles?

Faut-il conclure de tout cela que plus jamais Louise ne devra donner de conseil à Bernard? Bien sûr que non. Après un
certain temps, Louise pourra lui donner son avis s'il le lui demande et si elle est sûre que cela peut être utile. Mais il y a
conseil et conseil!

On peut tout à fait donner son avis en disant: «Voilà ce que
je pense...» ou bien: «Moi, j'ai procédé ainsi et cela m'a réussi...»
Mais il ne faut jamais oublier que nous professons une opinion
qui n'est pas nécessairement adaptée à l'autre. Dès que nous
présumons savoir ce qui est bon pour l'autre, nous tombons
dans le sur-fonctionnement. Si Louise est encore en colère
lorsque Bernard ne suit pas ses conseils, cela veut dire qu'elle
ne doit pas en donner.

En outre, il arrive souvent que nos proches aient de
grandes difficultés à suivre nos conseils s'ils ont l'impression
que nous avons du pouvoir sur leur vie. Louise, par exemple, a
pris l'habitude de sermonner Bernard, de le pousser à se faire
aider par un psychologue. Quand il ne suit pas son conseil, elle
se met en colère. Sans doute Bernard aurait-il davantage de
chances de réfléchir à la question si Louise lui disait (et seulement lorsqu'il le lui demanderait): «La thérapie m'a bien aidée,
tu sais, je pense que c'est une bonne chose. Mais évidemment, à
chacun ses idées. Peut-être que tu te débrouillerais mieux tout
seul. Qu'en penses-tu?» De cette façon, donner un conseil n'est
pas un acte de stratégie; c'est faire preuve de maturité en tenant
compte de la personnalité de l'autre.

## Tenir bon

Comme nous l'avons vu dans l'histoire de Margot et sa mère, il est extrêmement important de tenir bon — surtout lorsque nous avons décidé de modifier un schéma relationnel. Louise doit apprendre à exprimer son souci pour Bernard tout en cessant d'essayer de l'aider à résoudre ses problèmes. Comment peut-elle réussir?

Elle peut se contenter de l'appeler quand il a un problème, mais uniquement pour garder le contact. Elle peut dire: «Je sais que je ne te suis pas d'un grand secours, mais je voulais savoir comment tu vas pour que tu saches que je t'aime.» Elle pourrait le voir plus souvent, l'inviter à dîner en famille. Il ne faut pas confondre distanciation, qui consiste à laisser l'autre résoudre ses propres problèmes, et l'éloignement émotionnel. Louise peut se permettre de cesser de dépanner Bernard tout en continuant à lui manifester son intérêt.

Dans le cadre d'une relation qui est en train de changer, il n'est jamais facile de maintenir le contact émotionnel. Notre tendance naturelle nous pousse soit à nous battre, soit à prendre de la distance parce que nous ne sommes pas sûres de nous, nous ne savons pas comment rester sur nos positions lorsqu'on nous pousse à changer d'avis. Notre propre angoisse ne joue d'ailleurs pas le rôle le moins important dans ce processus. Pour tenir bon, nous devons résister à de considérables pressions internes, que le plus souvent nous ressentons comme de la colère («Pourquoi l'appellerais-je s'il se comporte ainsi?») ou de l'inertie («Je n'ai aucune envie de faire le premier pas.»).

## Apprendre à partager ce qui sous-fonctionne en nous

Au cours de nos séances, Louise me parlait de ses problèmes et de la peine qu'elle éprouvait. En revanche, avec les membres de sa famille, et surtout avec Bernard, elle prenait toujours l'attitude forte de celle qui n'a besoin de rien. Comme tout bon «sur-fonctionneur», Louise était persuadée qu'il était hors de question de partager ses luttes et sa vulnérabilité («Jamais je ne dirais à Bernard que je vais mal; je n'en ai aucune envie, il a bien assez de ses problèmes. Bernard ne peut rien faire pour moi. Pourquoi lui infligerais-je un tel fardeau; il ne peut pas m'aider, de toute façon.»). La relation entre Louise et Bernard était telle que Bernard n'y exprimait que sa faiblesse et Louise, sa compétence.

Si Louise veut modifier l'ancien schéma, il faut qu'elle donne d'elle-même une image plus équilibrée, et qu'elle commence à partager ses propres problèmes avec Bernard. Par exemple, lorsque ce dernier l'appelle pour lui exposer ses problèmes actuels, elle peut lui répondre: «Bernard, j'aimerais pouvoir t'aider davantage, mais en ce moment, je n'en suis guère capable. J'ai passé une très mauvaise journée, je suis désolée que ça n'aille pas, mais je n'ai pas beaucoup d'énergie à consacrer aux autres. Tu sais, cela fait un moment que je suis malheureuse dans mon travail, mais aujourd'hui, c'est vraiment le comble, et je me sens vraiment mal.» Quand nous avons affaire à des personnes déprimées ou en état de sous-fonctionnement, le pire que nous puissions faire est de nous concentrer sur leurs problèmes. *La meilleure solution est d'essayer de partager avec elles l'aspect de notre personnalité qui sous-fonctionne.*

## Les contre-attaques, encore elles!

Enfin, il faut que Louise se prépare à affronter les contre-attaques de Bernard. Car il est certain qu'il va essayer de réinstaurer les vieux schémas. Si, à son dernier appel, il avait besoin d'argent pour payer sa facture d'électricité, il y a fort à parier qu'au prochain, il sera sur le point de mourir de faim ou de se faire jeter en prison. Et ce moment-là sera l'instant de vérité. Soit nous nous donnons des excuses pour revenir en arrière et accuser l'autre («Je ne pouvais quand même pas le laisser à la rue!»), soit nous restons chez nous, angoissées, coupables, mais gardons nos positions. Si Louise est capable de persister à ne pas aider Bernard, à ne pas essayer de résoudre ses problèmes — tout en lui offrant tout de même son aide émotionnelle — il est probable que les contre-attaques cesseront de façon spectaculaire. Elles reviendront sporadiquement, chaque fois que Bernard testera la relation.

L'histoire de Louise nous en apprend beaucoup sur la question qui nous préoccupait: qui est responsable de quoi? Elle nous fournit un excellent exemple d'une situation où nous sommes à la fois responsables de l'autre et pas assez responsables de notre propre comportement. Louise est en colère car elle se considère comme responsable du problème de son frère; elle le conseille, vient à son secours, sort Bernard de sa situation épineuse. Elle n'est pas capable de le laisser se battre tout seul. En même temps, elle n'est pas assez responsable pour voir que son propre comportement contribue au schéma qu'elle dit vouloir changer. Elle est coincée dans une situation qui l'empêche de réfléchir à sa propre situation et d'imaginer comment elle pourrait prendre une nouvelle position qui la libérerait des anciennes règles et des rôles préétablis.

Il est vrai qu'à court terme, il est difficile de changer; mais il faut savoir qu'en maintenant le *statu quo*, le prix à payer à long terme est lourd. Pour Bernard, c'est évident. Louise est une grande sœur dévouée, mais si elle persiste à vouloir, en vain, le conseiller et le secourir, en ne lui montrant jamais qu'elle aussi est vulnérable, elle agit de la façon la moins secourable possible. Le prix que paie Louise est moins évident, mais tout aussi lourd. Sa colère chronique et le stress qu'elle subit en disent long. Quand nous sur-fonctionnons, nous avons du mal à laisser les autres s'occuper de nous, afin que nous puissions nous détendre et nous offrir le luxe de nous montrer désemparées, au moins pour un temps. Louise est la bonne infirmière, elle s'occupe des autres, mais elle a perdu de vue ses propres besoins et a oublié qu'elle a son propre épanouissement à assurer. Elle pousse ce dernier sous le tapis en invoquant le fait qu'il faut qu'elle s'occupe de son frère. En persistant à endosser les responsabilités de l'autre, Louise finit par sous-fonctionner pour elle-même.

## Les enfants qui nous mettent en colère

L'auto-accusation et l'accusation des enfants font partie des occupations favorites des mères d'aujourd'hui. «Mais qu'est-ce que j'ai?» ou «Qu'a donc cet enfant?», voilà les deux questions que les mamans se posent parce qu'on leur laisse la responsabilité principale de tous les problèmes familiaux. On encourage chez les mères le fantasme d'omnipotence: elles s'imaginent qu'elles ont tout pouvoir sur le comportement de leurs enfants. Si l'enfant se conduit bien, on la considère comme une «bonne mère». S'il se conduit mal, elle est une «mauvaise mère», et tout est de sa faute. C'est comme si la mère était à elle seule tout l'environnement de l'enfant. Récemment encore, le père, la famille, le contexte social — tout cela ne comptait pas vraiment.

En tant que mères, on nous pousse à croire que nous sommes capables, et que nous avons le devoir de contrôler des choses qui, objectivement, ne sont pas en notre pouvoir. Nous sommes nombreuses à éprouver un besoin excessif de contrôle sur le comportement de nos enfants, afin de nous prouver et de montrer aux autres — à nos mères surtout — que nous sommes de bonnes mères. Néanmoins, celle qui se laisse gagner par la colère parce qu'elle ne parvient pas à contrôler son enfant se retrouve souvent coincée dans un paradoxe qui sous-tend toutes nos difficultés. Nous pensons avoir le pouvoir de faire des choses qui ne sont pas de notre responsabilité, tout en n'exerçant pas le pouvoir qui est réellement le nôtre. Il est impossible pour une mère de faire en sorte qu'un enfant soit, se comporte, ressente les choses de telle ou telle façon; en revanche, elle peut tout à fait être ferme sur le comportement qu'elle peut tolérer et sur les conséquences d'une désobéissance. Nous pouvons aussi modifier le rôle que nous jouons dans les schémas qui provoquent un blocage dans la famille. En même temps, nous sommes vouées à l'échec si nous considérons que tous les problèmes sont de notre ressort — ou de celui de l'enfant ou de son père — exclusif. Dans une famille, il n'y a jamais un seul responsable, même si de prime abord, il semble qu'il en soit ainsi.

Bien souvent, les crises de colère peuvent se résumer ainsi. Nous sur-fonctionnons, nous nous ingérons trop dans la vie de nos enfants, dans leurs opinions et leurs sentiments. En même temps, nous sous-fonctionnons dès qu'il s'agit de clarifier notre position et d'édicter des règles de comportement. Voici un exemple typique.

## Claudia, un tyran de quatre ans

Alicia est divorcée depuis plusieurs mois. Depuis quelque temps, elle fréquente Carlos.

— Je l'aime beaucoup, mais ma fille ne l'apprécie pas, explique-t-elle. Chaque fois que nous nous préparons à sortir ensemble, Claudia, qui a quatre ans, se met à sangloter de façon pitoyable, comme si son petit cœur se brisait. Cela a peut-être un rapport avec une certaine loyauté envers son père, mais il est clair qu'elle n'aime pas Carlos, et qu'elle n'aime pas que je sois seule avec lui. Elle se comporte de façon grossière, elle refuse de lui parler. Il arrive même qu'elle pique une véritable crise de rage quand nous nous apprêtons à sortir. Cela me met tellement en colère que je suis incapable de faire l'effort de la comprendre.

— Et comment réagissez-vous quand Claudia se comporte ainsi?

— Quand je suis calme, j'essaie de la raisonner. Je lui fais comprendre que j'ai besoin de sortir et qu'il n'y a aucune raison pour que cela la bouleverse. Je lui dis qu'elle va s'habituer et que bientôt ça n'aura plus d'importance. Je lui explique que Carlos est un homme adorable et que si elle voulait faire un effort, elle aussi l'aimerait bien.

— Et comment réagit-elle?

— Elle ne m'écoute pas. Elle se cache sous ses couvertures ou met ses mains sur ses oreilles. Ou encore elle crie de plus belle. La semaine dernière, c'était si terrible que j'ai été obligée d'annuler mes projets avec Carlos: j'ai dû le renvoyer chez lui ainsi que la gardienne. D'habitude je sors quand même, mais alors je me sens tellement coupable que je ne peux pas en profiter. Je sais que Claudia a de la peine, qu'elle a du mal à supporter le divorce, mais à la fin je suis tellement furieuse après elle! Cette petite est un véritable dictateur!

Que se passe-t-il donc? Parviendrez-vous à identifier le problème d'Alicia?

### Raisonner avec les enfants, est-ce la bonne solution?

*A priori*, cela paraît une excellente idée. Dans la pratique, malheureusement, cela revient souvent à les convaincre que nous avons raison. Alicia dit à Claudia qu'elle a tort d'être en colère, qu'elle ne devrait pas éprouver de la peine. Non seulement elle a envie de voir Carlos, mais elle voudrait que Claudia en ait envie aussi. Non seulement elle veut que Claudia cesse de se montrer grossière (ce qui est, somme toute, parfaitement raisonnable), mais elle veut qu'elle aime Carlos et qu'elle le trouve charmant. Mais il est impossible de modifier les opinions et les sentiments des enfants. Qui plus est, ce n'est pas souhaitable. Si nous essayons, nous ne réussirons qu'à nous sentir furieuses et frustrées. Cela empêchera en outre l'enfant de se forger une personnalité forte.

Pourquoi Alicia a-t-elle tant de mal à accepter, tout simplement, les sentiments de colère et de tristesse de sa fille? Peut-être elle-même ne se sent-elle pas très à l'aise, même si elle n'en a pas conscience. Peut-être sur-fonctionne-t-elle. Peut-être vient-elle au secours des gens qui ont des problèmes — surtout s'il s'agit de sa fille. Nous sommes nombreuses à agir ainsi. Aussitôt que notre enfant exprime de la tristesse, de la colère, de la peine ou de la jalousie, notre première réaction est de nous précipiter pour essayer de faire quelque chose pour y remédier. Ce quelque chose peut être un conseil, une interprétation, un comportement rassurant. Nous changeons de sujet de conversation, nous essayons de lui remonter le moral. Nous nous efforçons de le convaincre qu'il ne ressent pas ce qu'il ressent.

Le sur-fonctionnement émotionnel reflète la fusion dans les relations familiales. Les règles et les rôles familiaux sont structurés de manière à favoriser un paternage distant et un maternage intense. Quand cela démange notre enfant, nous nous grattons. Cette force d'union entre mère et enfant est parfois si puissante que nous avons des difficultés à atteindre le degré d'indépendance qui nous permettrait d'écouter nos enfants avec attention et calme, et de les inviter davantage à s'exprimer de façon plus élaborée. Si nous apprenons à rester à notre place et évitons d'adopter une position de sur-fonctionnement ou de «réparatrice», nos enfants — qu'ils aient quatre ans ou quarante ans — font preuve d'une remarquable capacité à gérer leurs propres sentiments, à trouver des solutions à leurs problèmes et à demander de l'aide quand ils en ont besoin.

Que feriez-vous à la place d'Alicia? Claudia se calma considérablement dès qu'Alicia fut capable de prendre les trois mesures suivantes:

*D'abord, Alicia écouta ce que Claudia avait à dire de ses opinions et de ses sentiments sans essayer de les changer ou de les éliminer.* Elle ne proposa pas de conseils, ne rassura pas Claudia, ne la critiqua pas, n'interpréta pas ses paroles, ne donna pas d'instructions. En revanche, sans essayer de remédier au problème, elle proféra des affirmations attentives, telles que: «Cela a l'air de te mettre vraiment en colère que je sorte ce soir» ou: «Tu n'aimes pas beaucoup Carlos, n'est-ce pas?» Claudia se sentit rassurée par l'attitude attentive et calme de sa mère, et elle put ainsi exprimer plus en détail sa colère, ses craintes et la peine que lui faisait le divorce de ses parents. Quant à Alicia, elle eut l'impression qu'on lui avait enlevé un fardeau des épaules dès qu'elle put écouter sa fille parler sans se sentir obligée de «faire quelque chose».

*Ensuite, Alicia se rendit compte que la fréquentation de Carlos relevait de sa propre responsabilité, et que ses décisions ne devaient pas se fonder sur l'émotivité de sa fille.* Alicia montra qu'elle respectait les sentiments de sa fille et en tenait compte, mais qu'elle refusait de prendre ses décisions en fonction de cela. Par exemple, elle dit: «Je sais que ça va être difficile pour toi ce soir, mais Carlos et moi allons au cinéma, puis au restaurant. Je rentrerai vers 23 h 30, tu dormiras déjà.» Et quand Claudia, la voix pleine de larmes, dit: «Je le déteste», Alicia se contenta de répondre: «Je comprends.» Claudia, comme tous les enfants, était finalement rassurée de voir qu'elle pouvait exprimer l'intégralité de ses pensées et de ses sentiments, mais que sa mère était suffisamment adulte et indépendante pour prendre la responsabilité de ses propres décisions, mûrement réfléchies, que ce soit pour elle-même ou pour sa fille. Suivant l'ancien schéma, Alicia aurait cédé à Claudia, puis l'aurait accusée de l'avoir manipulée («Cette enfant s'arrange toujours pour obtenir ce qu'elle veut!»).

*Enfin, Alicia décida d'établir des règles de comportement claires et de les faire appliquer.* Par exemple, elle interdit catégoriquement les crises de colère. Si Claudia y cédait, Alicia la prenait dans ses bras, la portait dans sa chambre et l'y laissait jusqu'à ce qu'elle se calme. Alicia fit aussi comprendre à Claudia qu'elle devait répondre quand Carlos lui adressait la parole. «Tu n'es pas obligée de parler à Carlos si tu n'en as pas envie, mais quand il te pose une question, dis-lui que tu ne veux pas lui parler au lieu de faire comme s'il n'existait pas.» Pendant plusieurs semaines, Claudia répondit: «Je n'ai pas envie d'en parler» chaque fois que Carlos tentait d'entamer la conversation. Alicia décida que ce comportement était supportable. Elle remarqua aussi que plus elle harcelait sa fille pour qu'elle parle à Carlos, plus Carlos se rapprochait de Claudia, et plus Claudia s'éloignait. Avec Carlos, ils décidèrent de faire un pas en arrière et de donner à Claudia l'espace qu'elle voulait. Une fois que Claudia cessa de se sentir poussée à aimer Carlos ou à avoir une relation avec lui, elle se sentit plus à l'aise, se détendit en sa présence et, avec le temps, se montra plus aimable.

Qu'il s'agisse d'enfants ou d'adultes, le changement ne survient que lorsque nous cessons d'essayer de former l'autre et commençons à discerner les schémas. Nous pouvons alors adopter des comportements nouveaux. Plus nous apprendrons à observer, plus il nous sera facile d'identifier les schémas. («J'ai remarqué que plus je demande à Claudia de me parler de ses sentiments à propos du divorce, plus elle se ferme. En revanche, quand je la laisse en paix et que je me contente de lui parler de ce que moi je ressens, elle arrive parfois à me parler un peu d'elle.») Les schémas qui incluent trois personnages clés sont plus difficiles à repérer, comme nous le verrons au chapitre suivant.

CHAPITRE VIII

# La danse à trois

*Comment sortir des triangles familiaux*

Tout récemment, je suis allée voir mes parents, qui demeurent à plusieurs kilomètres de chez moi. Je fis ce voyage pour une raison bien particulière. Mon père — qui se vantait d'avoir atteint ses soixante-quinze ans sans le moindre rhume — venait d'avoir une crise cardiaque. Cette visite se passa merveilleusement bien, mais après mon retour, je me mis à éprouver de véritables bouffées de colère contre mes enfants. Les jours qui suivirent, Matthew se réveilla avec un mal de tête. Ben se montrait de plus en plus grognon, et tous deux ne cessaient de se chamailler. Mes deux enfants devinrent les cibles idéales de ma colère.

Je discutai de la situation avec mon amie Kay Kent, une excellente spécialiste des problèmes familiaux. Plus nous parlions, plus j'établissais un lien entre ma colère envers mes enfants et mon voyage chez mes parents. Les bons moments que j'avais passés là-bas me rappelaient non seulement que mes parents étaient bien loin, mais aussi combien ils me manqueraient lorsqu'ils auraient disparu. Car lors de cette visite, il ne me fut plus possible de me cacher leur âge. Mon père était fatigué, très diminué, s'essoufflait facilement. Ma mère, une femme énergique qui a survécu à deux cancers et à une opération récente, avait son air habituel, mais je prenais conscience de sa vulnérabilité.

Kay me suggéra de poser le problème de cette prise de conscience clairement à mes enfants et à mes parents, ce que je fis. À table, ce soir-là, je m'excusai auprès de ma famille pour m'être montrée tellement insupportable, et expliquai à mes deux fils qu'en fait j'étais triste parce que Papi et Mamie se faisaient vieux, et que la crise cardiaque de Papi me rappelait qu'ils ne vivraient pas éternellement, que l'un d'entre eux s'en irait peut-être bientôt. «C'est pour cela que je me suis montrée si irritable.» Puis j'écrivis à mes parents pour leur dire combien j'avais apprécié mon séjour, et comment, à mon retour, je m'étais trouvée confrontée aux problèmes que me posait leur vieillissement, à ma tristesse quand je pensais à la vie sans eux.

Il se produisit alors quelque chose de spectaculaire. Les garçons se détendirent, ils cessèrent presque de se battre. Tous deux me posèrent des questions sur la mort et, pour la première fois, me demandèrent des détails sur la crise cardiaque de leur grand-père et le cancer de leur grand-mère. Ma colère s'arrêta net et tout redevint comme avant.

La semaine suivante, je reçus une lettre de mon père, qui se contentait de me conseiller brièvement de ne pas m'appesantir sur les aspects morbides de la vie. Mais dans l'enveloppe, il joignait une longue lettre à chacun de ses petits-fils, dans laquelle il expliquait le fonctionnement du cœur et décrivait ce qui lui était arrivé. Il terminait sa lettre à Matthew en abordant directement la question de la mort. Ces lettres, familières et chaleureuses, furent le début d'une correspondance entre les deux générations.

Les problèmes qui se cachent sous l'une de nos relations ou derrière une situation donnée viennent immanquablement alimenter une autre relation, une autre situation. Quand nous prenons conscience de ce phénomène, nous pouvons nous excuser auprès de ceux qui ont, par erreur, essuyé notre colère, et nous remettre sur les rails: «Je suis désolée d'avoir été désagréable avec toi, mais j'ai passé une journée épouvantable au travail.»

«Je crains pour ma santé, c'est sûrement pour ça que j'ai été désagréable avec toi.» «Depuis le début de la journée, tout le monde m'agace, et en plus je me suis souvenue que c'était l'anniversaire de la mort de mon frère.» Parfois, néanmoins, nous ne sommes pas conscients de ce que nous faisons lorsque nous adressons à quelqu'un la colère qui concerne quelqu'un d'autre. Nous ne nous rendons pas compte que l'angoisse générée par une situation donnée se transforme en colère dans une autre situation.

Il ne s'agit pas simplement de déplacer un sentiment d'une personne à l'autre; nous réduisons l'angoisse que génère une relation en nous concentrant sur un tiers, qu'inconsciemment nous forçons à diminuer l'intensité émotionnelle qu'engendrait la première relation. Par exemple, si j'avais persisté à diriger ma colère contre mes deux garçons turbulents (qui, naturellement, auraient réagi en se montrant encore plus turbulents), j'aurais éprouvé moins d'angoisse au sujet de mes parents vieillissants. Très probablement, je n'aurais pas identifié cette angoisse et je n'aurais jamais résolu mon véritable problème.

Ce schéma est un «triangle», et les triangles peuvent prendre plusieurs formes. Les triangles opèrent de façon transitoire, automatiquement et inconsciemment dans toutes les situations humaines, y compris dans notre famille, au travail et avec nos amis. Mais ils peuvent aussi prendre véritablement racine et bloquer l'épanouissement de ceux qui s'y sont laissés prendre, les empêchant ainsi d'identifier les véritables sources de conflit. L'exemple qui suit illustre dans un premier temps un triangle bénin, transitoire, puis un triangle problématique, bien enraciné.

## Un triangle au foyer

Judith est agente immobilière; Victor, son conjoint, est représentant pour une compagnie de téléphonie. Ce jour-là, Victor a une réunion après le travail. Il appelle Judith pour lui dire qu'il ne rentrera pas avant 19 h. Celle-ci a passé l'après-midi avec les enfants, elle est énervée, fatiguée quand arrive l'heure du dîner. Elle prépare à manger pour les enfants qui, sensibles à son humeur, en rajoutent un peu, ce qui ne fait que l'énerver davantage. Elle débarrasse la table et guette l'heure du retour de Victor. À 19 h 30, il fait son apparition.

—Désolé d'être en retard, dit-il. Il y avait un accident, je me suis retrouvé coincé dans un embouteillage.

La raison qu'il invoque est parfaitement respectable, mais Judith est furieuse. Non pas — croit-elle — pour elle-même. Cela, elle ne veut pas le reconnaître.

—Je suis hors de moi! dit-elle d'une voix réellement furieuse. Jean et Marie (les enfants) t'ont attendu toute la journée. Maintenant, c'est presque l'heure du coucher. Jean surtout me donne du souci. Tu n'as pas passé de temps avec lui cette semaine. Tu lui as terriblement manqué. C'est un fils sans père!

Que se passe-t-il donc? Peut-être l'attitude de Victor avec ses enfants pose-t-elle problème, mais là n'est pas la question. À ce moment précis, Judith utilise les enfants pour détourner le véritable problème qui les concerne tous les deux, elle et Victor. Victor, lui aussi, a peut-être ses raisons pour éviter le problème. Peut-être qu'au fond Judith a l'impression qu'elle n'a pas le droit d'être en colère contre Victor. Après tout, cette réunion était capitale pour lui, et il n'y était pour rien dans l'embouteillage. Elle s'imagine que sa colère est irrationnelle, illégitime, infantile; du même coup, elle ne peut pas la formuler, même pas à elle-même. Peut-être le problème est-il encore plus important que cela. Peut-être le retard de Victor a-t-il exacerbé un sentiment déjà ancien chez Judith, qui concerne le degré d'investissement de Victor dans le mariage.

Si Judith et Victor ont une relation souple, sans angoisses excessives, le triangle ne sera que temporaire, il n'aura que peu de conséquences. Quand Judith se sera calmée, elle pourra partager ses sentiments avec Victor, lui dire aussi qu'elle a passé une mauvaise journée et qu'elle s'est sentie bien déçue quand il n'est pas rentré à 17 h pour partager le fardeau avec elle. Mais peut-être ne se sent-elle pas assez en sécurité pour parler à Victor de cette manière. Peut-être sommes-nous en face d'un couple trop rigide pour identifier les conflits cachés qui minent leur mariage.

Avec le temps, il s'instaurera sans doute un triangle bien enraciné ayant pour pôles Judith, Victor et un des enfants. Peut-être

Judith passera-t-elle son temps à gronder un de ses enfants au lieu de s'en prendre à Victor. Peut-être intensifiera-t-elle sa relation avec Jean ou Marie, de telle sorte que cela maintiendra la paix sur le front conjugal. Bien des choses peuvent se produire: la mère et son fils entretiennent une relation trop intime qui compensera l'éloignement du conjoint et contribuera à faire du père un étranger à sa famille. La mère se plaindra à sa fille à propos de son conjoint, plutôt que de garder ses problèmes pour elle et son partenaire. Ou bien un des enfants souffrira d'un problème comportemental ou émotionnel, et Judith se concentrera tellement sur cette situation qu'elle oubliera sa frustration conjugale. Peut-être qu'ainsi Judith et Victor se rapprocheront superficiellement dans leur effort pour s'occuper de leur enfant en détresse.

Le troisième pôle du triangle n'est pas nécessairement un enfant. Ce peut être la mère de Judith, un membre de la belle-famille, ou encore l'amant de Judith ou la maîtresse de Victor. Les triangles peuvent prendre une multitude de formes différentes; mais dans tous les cas, l'intensité émotionnelle qui régnera entre Judith et le troisième pôle sera nourrie par les problèmes irrésolus de son mariage. Plus le triangle s'enracinera, plus ces problèmes deviendront difficiles à résoudre. Bien sûr, la colère qu'éprouve Judith envers son conjoint ne fera peut-être qu'augmenter à cause des problèmes irrésolus qu'elle entretiendra avec d'autres, son père ou sa mère par exemple.

Quels que soient notre sexe et notre âge, nous participons tous à de multiples triangles entremêlés qui peuvent même traverser les générations. Mais, comme nous l'avons vu, les femmes éprouvent souvent une peur excessive quand il s'agit de troubler l'eau dormante de leur relation avec l'homme de leur vie. Aussi ont-elles tendance à éviter les confrontations directes, et à détourner leur colère vers une autre personne moins importante — un enfant, une autre femme. Nous allons voir le rôle que peut jouer le triangle dans un contexte professionnel.

## Un triangle au bureau

Mélissa est jeune et brillante. Elle vient d'être nommée infirmière en chef dans une petite clinique privée qui est dirigée presque exclusivement par des hommes. En réalité, ce poste n'est pas vraiment important puisqu'elle n'exerce pratiquement aucune autorité. Mois après mois, elle assiste à des réunions où l'on ne tient pas compte de ce qu'elle dit, et où, de plus en plus, elle a l'impression de ne pas pouvoir influencer la politique maison en ce qui concerne son propre service.

Et pourtant, Mélissa éprouve une sorte de gratitude à avoir été l'heureuse élue, elle craint les effets de la colère qu'elle éprouve envers les autorités masculines, et, inconsciemment, elle a peur, en s'affirmant plus clairement, de perdre l'approbation de ceux qui détiennent le pouvoir. Tous ces sentiments l'empêchent de ressentir de la colère et d'affronter les vrais problèmes. En effet, Mélissa a pris l'habitude d'adopter une attitude déférente vis-à-vis des hommes importants, et de protéger l'autorité masculine contre les critiques des autres femmes. Peut-être d'ailleurs cette attitude contribua-t-elle à sa nomination.

Alors se mit en place un triangle à l'intérieur duquel Mélissa commença à affronter son angoisse et sa colère dissimulées. Elle surveilla de très près son personnel, intervenant au moindre problème. Puis, elle prit en grippe une infirmière, Suzanne, qui devint le troisième pôle du triangle. Suzanne, une jeune infirmière compétente mais ne mâchant pas ses mots, n'hésitait pas à formuler envers les autorités les critiques que Mélissa n'osait pas exprimer. Pour elle, les tâches administratives et les règlements n'avaient pas grande importance. Mélissa se mit à réagir de façon excessive à toutes les petites négligences de Suzanne dans le domaine administratif, à tous ses retards. Elle se mit à la considérer comme un cas problème qu'il fallait surveiller. Par exemple, plutôt que de lui en parler en tête-à-tête, elle adressa à un autre supérieur hiérarchique de Suzanne une longue note de service pour lui signaler son dernier retard administratif. Bien sûr, Suzanne était de plus en plus angoissée, à tel point qu'inconsciemment, elle ne fit que précipiter la catastrophe en se cherchant des alliées dans le personnel, contre Mélissa. La tension entre les deux femmes continua à monter. Le retard administratif de Suzanne prit des proportions plus importantes, et six mois plus tard, Mélissa la renvoya, avec l'approbation de ses supérieurs masculins.

Mélissa et Suzanne se trouvaient prises dans un triangle qui prenait sa source au plus haut niveau administratif. Les relations entre Mélissa et ses supérieurs purent demeurer calmes et non conflictuelles, car la colère sous-jacente de Mélissa s'était exprimée contre une subalterne, à savoir la malheureuse Suzanne. Mélissa n'entreprit aucune action pour développer les responsabilités du personnel infirmier à l'intérieur du système, et ce problème finit par devenir un sujet de friction entre elle et ses supérieurs.

Mélissa est-elle donc la cause du problème? Est-elle responsable de la situation? Bien sûr que non. Si Mélissa s'était trouvée dans une entreprise où les femmes avaient un réel pouvoir et où elle n'aurait pas servi d'alibi complaisant, son comportement aurait été bien différent. En réalité, les recherches tendent à montrer que les femmes qui détiennent des positions de pouvoir dans un contexte dominé par les hommes ne peuvent pas définir clairement leur identité propre, et sont incapables d'identifier les problèmes spécifiquement féminins tant que le nombre de femmes et d'hommes dans l'entreprise n'a pas atteint un équilibre. Suzanne était un bouc émissaire, mais elle n'était pas non plus une victime innocente des circonstances, sans aucun pouvoir sur son destin.

Dans le meilleur des mondes possible, nous pourrions imaginer des relations individuelles avec nos amis, nos collègues, les membres de notre famille qui seraient exemptes de toute influence exercée par nos autres relations. Par exemple, notre relation individuelle avec notre mère ou notre père ne serait pas influencée par le fait que tous deux ne cessent de se disputer. Nous resterions au-dessus de la mêlée, et empêcherions les autres d'intervenir dans nos propres disputes. Si nous étions en colère après Suzanne, nous nous en prendrions à elle, sans aller nous plaindre auprès de Céline. Nous ne détournerions pas notre colère, nous ne déplacerions pas les problèmes émotionnels d'une relation à l'autre. Ce serait idéal. Malheureusement, nous n'y réussissons guère. Les triangles sont partout. Dès que l'angoisse monte entre deux personnes, dès qu'un conflit commence à poindre, automatiquement, inconsciemment, nous attirons un tiers pour former un triangle. Tous, nous faisons partie de triangles entremêlés sans même en être conscients. Beaucoup de ces triangles ne sont pas bien graves, mais certains le sont. Alors, comment sortir d'un triangle si nous ne sommes même pas conscients de nous y trouver?

Pour comprendre les triangles, il faut veiller à deux éléments. Tout d'abord, il nous faut déterminer quels sont les problèmes irrésolus qui nous opposent à une personne importante (il s'agit souvent de quelqu'un d'une génération antérieure) et que nous reportons sur une autre relation? Lorsque nous éprouvons une colère violente envers quelqu'un qui nous est proche, cela signifie souvent qu'une autre relation importante nous laisse des émotions violentes et non reconnues. Enfin, quel rôle jouons-nous dans le maintien des schémas triangulaires qui nous bloquent? Pour le découvrir, examinons nos schémas triangulaires. Voici l'histoire d'un triangle clé au sein d'une famille minée par la colère et l'angoisse, sur tous les fronts.

## Un triangle multigénération à l'œuvre: la famille Kesler

—Je viens vous voir parce que mon fils Guillaume me cause bien du souci, m'explique M^me^ Kesler. Il a toujours été gentil mais, depuis le début de l'année scolaire, il a des problèmes à l'école. Guillaume et son père n'arrêtent pas de se disputer à ce sujet, et leur relation se détériore de jour en jour. J'ai fait tout mon possible pour apaiser les choses, pour aider Guillaume à mieux travailler, mais il n'y a rien à faire. Je lui en veux, et j'en veux aussi à mon conjoint, parce qu'il réagit en le punissant. J'ai essayé d'emmener Jean avec moi aujourd'hui, mais cela ne l'intéresse pas. Il pense que les psychologues sont des charlatans et que tout ça, c'est de la blague.

Il ne fallut que quelques minutes à M^me^ Kesler pour exposer comment elle percevait le problème. Le «problème» de la famille, c'était Guillaume et son père. Si j'avais pu poser la question au père, il aurait probablement dit que le «problème», c'était Guillaume et sa mère. Un tel phénomène est parfaitement normal. Quand nous éprouvons de la colère, nous considérons que les problèmes sont les personnes, et non pas les schémas.

Voici, à la page suivante, un diagramme qui représente la famille Kesler. Les carrés symbolisent les hommes; les cercles, les femmes. La ligne horizontale qui relie un cercle à un carré symbolise un mariage; les enfants sont placés en ordre chronologique, l'aîné à gauche. Guillaume a huit ans, il est l'aîné; puis vient son frère Joël, six ans, et sa sœur Anne, quatre ans.

## Qui fait quoi... à cause de qui... et après?

Quel est le schéma relationnel qui se met en branle autour du problème scolaire de Guillaume? Tous — individus et familles — nous réagissons au stress de façon schématique et prévisible. Si M$^{me}$ Kesler devait utiliser sa colère pour modifier sa position dans la famille, sa première tâche serait d'observer les schémas bloqués. Quand je lui ai demandé des détails, elle m'a décrit une suite d'événements qui s'étaient produits la veille:

Après le repas, Guillaume regardait la télévision au lieu de faire ses problèmes de mathématiques, qu'il avait promis de terminer ce soir-là. Le père s'en rendit compte le premier, et il gronda sévèrement Guillaume, l'accusant de se conduire de façon irresponsable et de ne pas tenir ses engagements. Guillaume essaya de trouver une échappatoire («Je les ferai à la fin de l'émission.»), et son père s'énerva de plus belle. La mère, qui faisait la vaisselle tout en écoutant ce qui se passait, cria: «Jean, ne sois pas si dur. L'émission se termine dans un quart d'heure.» Le père lui répondit: «Ne te mêle pas de ça! Si tu n'avais pas gâté cet enfant, il n'en serait pas là!» Le père et la mère continuèrent à se disputer pendant que Guillaume se retirait dans sa chambre et s'allongeait sur son lit. Puis le père s'éloigna de la mère, qui tenta, en vain, de le pousser à continuer. À son tour, elle se tut.

Avant que M$^{me}$ Kesler ait parlé, le triangle comportait deux côtés calmes et un côté conflictuel entre le père et le fils:

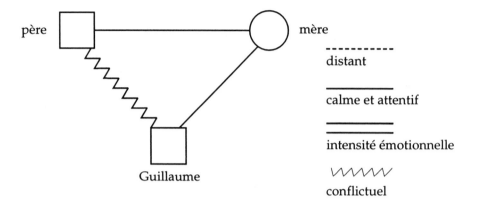

mère

- - - - - - - - - - -
distant

_____
calme et attentif

═══════════
intensité émotionnelle

VVVVVV
conflictuel

Après que Mᵐᵉ Kesler est intervenue pour venir au secours de Guillaume, elle devint le point d'attraction des critiques de M. Kesler, et le triangle se transforma ainsi:

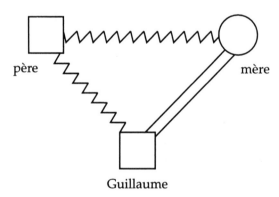

## Scénario 1

Ce triangle ne serait pas nécessairement dramatique si le schéma en était transitoire et souple. Supposons, par exemple, que ce soir-là, les choses se soient passées ainsi: après que Guillaume est allé se coucher, M. et Mᵐᵉ Kesler échangent leurs points de vue sur le problème posé par leur fils. Ils reconnaissent qu'ils ne sont pas du même avis sur la signification du comportement de Guillaume, mais parviennent à se mettre d'accord sur un comportement qui leur convient à tous les deux. Puis, M. Kesler raconte à sa femme qu'il a eu un problème au bureau, et lui dit que peut-être c'est pour cela qu'il a réagi aussi violemment vis-à-vis de Guillaume. M^me Kesler, quant à elle, réfléchit que peut-être sa sensibilité aux critiques de son mari contre son fils vient du fait que son propre père se disputait sans cesse avec son frère aîné (encore un aîné, comme Guillaume). Elle reconnaît qu'elle a souffert de cette situation. Au fur et à mesure que la conversation se déroule et débouche sur des problèmes personnels, professionnels ou relationnels, Guillaume quitte le devant de la scène.

## *Scénario 2*

Malheureusement, la famille Kesler ne fait pas preuve d'une telle souplesse. Au contraire, M^me Kesler racontait que le schéma se répétait de plus en plus souvent. Dès que la famille souffrait de stress, voilà ce qui se produisait:

Le père se bloquait dans une position d'accusation contre Guillaume. Au premier signe de comportement inadéquat ou d'irresponsabilité de la part de son fils, il se mettait en rage («Tu vas au-devant de sacrés problèmes si tu ne changes pas!»). La mère se bloquait dans une position de secours vis-à-vis de son fils et d'accusation vis-à-vis de son mari («Jean, ce garçon a besoin d'amour et de compréhension, pas d'une discipline d'acier!»). Parfois, elle adoptait un rôle de médiatrice, ou de réparatrice. Elle conseillait son mari et son fils sur la meilleure manière d'améliorer leur relation.

Guillaume se retrouvait bloqué dans une position de sous-fonctionnement. Déjà, on l'avait étiqueté «enfant à problèmes», à la maison comme à l'école, et il était devenu l'objet du souci paternel.

Enfin, M. et M^me Kesler étaient bloqués dans un cycle à répétition. Ils se disputaient sur les méthodes d'éducation: pour M. Kesler, rien ne valait l'ordre et la loi; pour M^me Kesler, rien ne valait l'amour et la compréhension. L'intensité émotionnelle de ces disputes occultait d'autres problèmes qui affectaient leur vie conjugale et personnelle.

## Et maintenant, M^me Kesler?

Les semaines qui suivirent, M^me Kesler apprit à observer sa propre colère en même temps que le schéma d'interaction familiale vis-à-vis du problème de Guillaume. Elle put alors comprendre comment elle avait l'habitude de gérer son stress. Elle comprit qu'elle adoptait vis-à-vis de Guillaume une attitude de secouriste, qu'elle accusait son mari et qu'il lui arrivait de jouer les médiateurs ou les pacificateurs.

Elle vit aussi que son comportement n'était pas efficace. Chaque fois qu'elle s'efforçait de venir au secours de Guillaume, son conjoint avait l'impression qu'elle prenait le parti de son fils contre lui. Désormais, M^me Kesler était prête à adopter un comportement nouveau.

## Cessons de jouer les intermédiaires

Si nous persistons dans nos efforts infructueux pour intervenir dans une autre relation, nous faisons partie d'un triangle. Pour M^me Kesler, le plus difficile était de laisser son mari et son fils se débrouiller tout seuls et gérer leur relation sans elle. Voici ce qu'elle fit:

Tout d'abord, elle alla voir son mari et s'excusa d'être intervenue dans sa relation avec Guillaume. Elle reconnut que peut-être elle n'avait fait qu'aggraver la situation en s'imaginant qu'elle détenait les solutions. Elle compatit avec le souci que se faisait son mari, le félicita pour son attitude responsable et ses efforts pour aider son fils à devenir un adulte. Elle lui dit qu'elle était certaine que Guillaume et lui parviendraient à résoudre leurs problèmes.

Elle alla ensuite voir Guillaume et lui dit: «Je sais que je m'épuise en vain à jouer les ambulances quand tu te disputes avec ton père. Tu es intelligent, tu sais bien ce qui énerve ton père. Je suis sûre que tous les deux vous allez vous en sortir. Quant à moi, je ne m'en mêle plus.»

Enfin, M^me Kesler s'efforça de garder son calme et de rester en dehors du conflit chaque fois qu'une contre-attaque faisait son apparition. Comme on pouvait le prévoir, les autres membres de la famille s'efforcèrent de retourner en arrière et de réinstaurer le vieux triangle. Le père corrigea Guillaume à coups de ceinture, alors qu'auparavant il se contentait de crier.

Guillaume courut vers sa mère, se plaignant de la cruauté de son père. Même ses jeunes frères et sœurs s'en mêlèrent («Maman, papa est encore après Guillaume!»). Guillaume procédait régulièrement à de petits tests de ce genre avec sa mère:

—Papa dit que je ne jouerai pas au base-ball demain. Ce n'est pas possible, c'est moi qui lance! Tu ne veux pas lui parler?

—Guillaume, c'est une affaire entre ton père et toi. Parle-lui si cela te pose un problème.

—(*en larmes*) Mais il ne m'écoute pas!

—Débrouille-toi avec ton père. Vous êtes deux personnes intelligentes. Tâchez de résoudre le problème au mieux.

—Mais papa est injuste! Ce n'est pas toi qui me ferais rater un match!

—Ton père et moi avons parfois des règles différentes. Cette règle est celle de ton père, et c'est lui qui décide. C'est une affaire entre vous deux.

Même si Guillaume essaie de réinstaurer l'ancien schéma, il se sent rassuré par la nouvelle position de sa mère. D'une certaine manière, il la teste pour savoir si réellement il a le droit d'entretenir avec son père une relation séparée, ou bien si sa mère a besoin qu'il lui reste fidèle afin que tous deux forment une subtile alliance contre un père «injuste» ou «incompétent». Grâce à son nouveau comportement, M^me Kesler exprime le fait qu'elle n'a plus besoin de l'ancien schéma, dans lequel le père restait en dehors de la relation. Maintenant, Guillaume a parfaitement le droit d'avoir avec son père une relation séparée, sans se faire du souci pour sa mère.

Pour M^me Kesler, c'était loin d'être facile.

—Chaque fois qu'ils commencent tous les deux, c'est une épreuve pour moi, m'expliqua-t-elle. Quand j'entends Jean, cela me bouleverse, je suis prête à éclater. Parfois je me réfugie dans la cuisine, ou bien je sors carrément me promener.

M^me Kesler est capable de prendre ses distances quand c'est nécessaire, sans critiquer son mari.

—Quand vous commencez à vous affronter tous les deux, lui dit-elle calmement, sans agressivité, cela me bouleverse. Je ne sais pas vraiment pourquoi, mais dès que cela commence, je sors de la pièce ou je vais faire un tour: cela m'aide à supporter la situation.

Elle montre à son mari qu'elle assume ses propres sentiments, ses propres réactions, et qu'elle ne l'accuse pas d'être à l'origine de ses problèmes. Tout au long de ce processus, Mme Kesler montre à son mari et à son fils qu'elle leur fait confiance pour qu'ils parviennent, sans son aide, à gérer leur relation.

Mais si Mme Kesler craint que son mari ne frappe son fils? À l'évidence, elle doit absolument être très ferme sur ce point et protéger Guillaume à tout prix, même s'il faut appeler la police. Mais si elle parvient à agir ainsi tout en évitant de réinstaurer l'ancien triangle, il est probable qu'il n'y aura pas de violence. En effet, les triangles augmentent la probabilité de la montée de violence. Par exemple, elle peut dire à son mari (si possible à un moment de calme): «Je dois te dire que j'ai vraiment peur que Guillaume ne soit blessé quand vos disputes deviennent violentes. Je sais que je ne peux rien résoudre entre vous, mais la violence m'est absolument insupportable. Si tu en arrivais là, je ferais tout ce qui est en mon pouvoir pour vous séparer.» À Guillaume, elle peut dire: «Je sais que toi et ton père devez résoudre votre problème tous les deux. Mais, comme je l'ai dit à ton père, j'interviendrai si je crains que vous ne vous fassiez du mal.» Prendre ses responsabilités ne veut pas forcément dire retomber dans les vieux schémas.

Qu'advint-il de la famille Kesler après le changement d'attitude de la mère? M. Kesler, progressivement, réagit moins violemment aux problèmes de Guillaume, à ses provocations. Il s'emporta moins vite, moins facilement. Guillaume, à son tour, devint plus responsable et put résoudre ses problèmes scolaires. La relation père-fils s'améliora considérablement. Alors, ils furent heureux…?

Non, pas vraiment. Tout d'abord, Mme Kesler et Guillaume entrèrent en conflit ouvert. Ensuite, M. et Mme Kesler commencèrent à aborder les problèmes conjugaux de distance et d'intimité. M. Kesler sombra dans la dépression et, malgré sa méfiance envers les psychologues, il prit rendez-vous avec moi.

Comment expliquer ces événements? Les triangles servent à masquer les problèmes générateurs d'angoisse: c'est pour cela que nous y participons tous. Quand on brise un triangle, quand on entreprend une relation individuelle avec chaque membre de la famille, sans qu'intervienne un tiers, les problèmes cachés font surface. C'est difficile à vivre, mais cela nous fournit l'occasion de cesser de nous concentrer sur les autres et de mieux nous regarder.

## Retour sur notre famille d'origine

Quand le problème de Guillaume fut résolu, l'étape suivante pour M. et M^me Kesler consista à se concentrer sur leurs familles respectives et à rassembler des informations sur le passé. De fait, lorsqu'un enfant ou un époux est en état de sous-fonctionnement et devient la cible de nos colères, de notre souci, il est très utile d'élargir le champ de vision familial.

Une telle approche élargie contribue à faire la lumière sur un certain nombre de questions: pourquoi fut-ce Guillaume qui devint le «problème» de la famille, et non pas sa sœur ou son frère cadets? Pourquoi les interactions familiales commencèrent-elles à devenir difficiles au moment précis où Guillaume entrait en troisième année? Pourquoi M. Kesler réagissait-il si violemment face à «l'irresponsabilité» de son fils? Pourquoi M^me Kesler réagissait-elle si violemment aux disputes entre père et fils? Pourquoi M. Kesler se mit-il à déprimer dès que le conflit avec Guillaume fut résolu? Et, plus important encore, que doivent faire M. et M^me Kesler pour s'assurer qu'aucun autre membre de la famille ne retombe dans une situation de sous-fonctionnement et ne redevienne le «problème», comme Guillaume?

Regardons de plus près le petit arbre généalogique familial des Kesler et rassemblons les faits. Si vous êtes courageux, vous ferez un diagramme de votre propre famille, avec au moins trois générations. Le diagramme de la famille Kesler est délibérément incomplet: cela m'a permis de le laisser ouvert et de mettre en relief certains points clés. En effet, un diagramme complet devrait mentionner les dates de naissance, de mort, de maladies graves, de mariages, de divorces, ainsi que le niveau d'éducation de tous les membres de la famille, en remontant aussi loin que possible. Lorsqu'un cercle ou un carré comporte une croix, c'est que la personne est décédée. Les deux petites lignes diagonales qui coupent une ligne de mariage signifient un divorce.

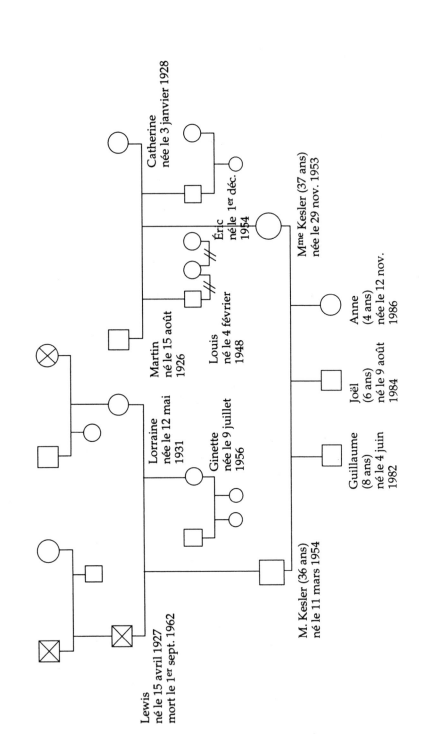

Catherine
née le 3 janvier 1928

Éric
né le 1er déc.
1954

Mme Kesler (37 ans)
née le 29 nov. 1953

née le 1er déc.
1954

Martin
né le 15 août
1926

Louis
né le 4 février
1948

Anne
(4 ans)
née le 12 nov.
1986

Joël
(6 ans)
né le 9 août
1984

Lorraine
née le 12 mai
1931

Ginette
née le 9 juillet
1956

Guillaume
(8 ans)
né le 4 juin
1982

Lewis
né le 15 avril 1927
mort le 1er sept. 1962

M. Kesler (36 ans)
né le 11 mars 1954

Que nous apprend ce diagramme? Du côté paternel, nous découvrons que M. Kesler a une sœur cadette, Ginette, qui est mariée et mère de deux filles. Un simple calcul nous apprend que le père de M. Kesler, Lewis, était un premier-né et est mort à trente-cinq ans, quand M. Kesler avait huit ans. La mère de M. Kesler, Lorraine, est la cadette de deux sœurs et ne se remaria pas après la mort de son mari.

Du côté maternel, nous apprenons que M^me Kesler est l'enfant du milieu. Son frère aîné, Louis, a divorcé deux fois et son frère cadet, Éric, est marié et père d'une fille. M^me Kesler m'a appris que Louis était la «brebis galeuse» de la famille. Selon elle, «Louis est un alcoolique: on peut toujours compter sur lui pour bousiller une affaire ou un mariage». Les parents de M^me Kesler, Martin et Catherine, se comportent alternativement en s'éloignant de lui et en le sortant des difficultés financières dans lesquelles il se met. M^me Kesler ne voit son frère que très rarement, lors de réunions de famille.

Examinons d'abord le côté paternel, essayons de lier les schémas du passé aux schémas du présent.

## Le deuil du père

Lors de mon premier rendez-vous avec M^me Kesler, je lui demandai toutes ces informations. Je compris pourquoi la relation entre Guillaume et son père était devenue aussi conflictuelle au moment où Guillaume atteignait ses huit ans et entrait en troisième année. Guillaume avait l'âge de son père au moment où celui-ci avait perdu son papa. En outre, M. Kesler avait trente-six ans, à peine plus que son père lors de son décès. Il était à prévoir que M. Kesler manifesterait une «réaction anniversaire» à cette période et éprouverait une remontée des émotions qui entourèrent la perte de son père.

M. Kesler ne pensa pas directement à son père, il n'éprouva pas de façon consciente la colère, l'angoisse et la perte liées à cet anniversaire. Au lieu de cela, de façon classique, il concentra son énergie émotionnelle sur un tiers — son fils — et se mit à réagir de façon excessive à tout signe de perturbation chez Guillaume. C'est l'intensité de nos réactions envers le problème de l'autre qui assure non seulement l'aggravation mais aussi la persistance du problème. Le manque de coopération de Guillaume augmenta en proportion directe par rapport à la réaction émotionnelle de son père (et à la réaction de la mère au père): la danse circulaire débutait.

Pourquoi M. Kesler reporta-t-il son angoisse sur son fils? Généralement, ce sont les mères qui font cela: c'est pour elles une manière de gérer l'intensité émotionnelle et le stress, mais parfois les pères n'y échappent pas. On aurait pu assister à l'apparition d'autres triangles. Par exemple, M. Kesler aurait pu prendre une maîtresse et quitter sa femme à ce moment précis. Il aurait pu s'éloigner d'elle et se consacrer exclusivement à son travail, ce qui est un style typiquement masculin de gestion de l'angoisse. Il aurait pu se mettre à sous-fonctionner et sombrer dans les problèmes physiques ou émotionnels. Il aurait pu se mettre à critiquer sans cesse sa femme, préservant ainsi ses enfants de toute conséquence. Nous avons tous notre méthode pour gérer le stress; souvent, nous en avons plus d'une, ce qui est préférable. Si la seule méthode qu'adopte une famille pour résoudre son angoisse est de se concentrer sur un enfant «à problèmes», cet enfant-là, à coup sûr, en souffrira considérablement. De la même façon, si la seule méthode adoptée est la dispute conjugale incessante, le couple en pâtira énormément.

## Pourquoi Guillaume?

Guillaume et son père occupent tous deux la même position de fils aînés. Cela explique pourquoi le père s'identifie plus facilement à Guillaume qu'à ses autres enfants. Il se confond avec Guillaume, et il réagit plus fortement à tout problème qui le touche. On comprend alors pourquoi l'intensité de ses réactions augmente en période de stress. Le fait que le père de M. Kesler était lui aussi un aîné augmente la charge émotionnelle de sa relation avec son fils. L'ordre de naissance est un facteur fondamental qui nous aide à comprendre comment nos parents nous perçoivent, comment ils nous étiquettent, et comment nous-mêmes traitons nos propres enfants.

## «Sois responsable, mon fils!»

Ce qui mettait M. Kesler hors de lui, c'était de voir Guillaume se comporter de façon incompétente et irresponsable. Pourquoi?

Le diagramme nous donne des indices précieux. À huit ans, M. Kesler a perdu son père. Il reste avec sa mère Lorraine, la cadette de deux sœurs. Que savons-nous des caractéristiques générales d'une telle cadette? En tant que mère, bien souvent, elle a du mal à prendre les choses en main, à assumer son autorité et à prendre des initiatives. En tant qu'aîné (et fils), M. Kesler a peut-être exercé très jeune les caractéristiques typiques du fils aîné: sens des responsabilités et du commandement. Peut-être a-t-il essayé de remplacer son père, et d'aider sa mère à s'en sortir.

Le jour où je rencontrai M. Kesler, mes soupçons furent confirmés. Très tôt, il était devenu un «petit homme»; il avait été obligé d'abandonner très vite son côté enfant, son besoin d'être cajolé et d'être déraisonnable. Il avait passé une grande partie de sa vie dans une situation de sur-fonctionnement et de souci pour les autres membres de la famille. Il réagit *in petto* au premier signe d'irresponsabilité de la part de Guillaume parce que lorsqu'il était enfant, il était tellement responsable qu'en réalité il n'a pas vraiment eu d'enfance.

—Je crois que si je me mets en rogne quand je vois Guillaume chercher à s'amuser, me dit-il plus tard, c'est que je suis un peu jaloux. Après la mort de mon père, j'ai cessé d'être un enfant et je me suis mis à me faire du souci, bien avant d'y être prêt. Mon problème est que je me sens trop responsable de tout.

## «J'ai un problème»

Un peu plus tard, une semaine où M. Kesler se montrait particulièrement sensible à l'attitude insouciante de son fils vis-à-vis de l'école, il prit Guillaume sur ses genoux et lui parla en ces termes:

—Toute cette semaine, je me suis énervé parce que je voyais que tu ne faisais pas ton travail. Je t'ai vraiment tarabusté. Je crois que je sais d'où vient mon problème. Tu sais, quand j'avais huit ans, mon papa est mort, je n'avais plus de père. J'ai éprouvé de la colère, de la tristesse, de la peur. Aujourd'hui, tu as huit ans toi aussi, et tous ces vieux sentiments me reviennent. Alors quelquefois, j'essaie de résoudre mes problèmes en te harcelant et en te grondant: comme ça, je suis moins triste en pensant à mon père.

Guillaume le regarda avec de grands yeux.

—Mais ce n'est pas juste, ça n'a pas de sens, répondit-il.

—Tu as raison. De temps en temps les papas font des choses pas raisonnables. Je te dois des excuses. C'est à toi de décider quel genre d'élève tu as envie d'être. Je ferai de mon mieux pour résoudre ce problème et ne pas me mêler de tes affaires. Je n'y parviendrai pas tout le temps, mais je vais essayer.

—Ça veut dire que je peux aller jouer sans faire mes devoirs? demanda Guillaume, mi-joyeux, mi-angoissé.

—Certainement pas, dit M. Kesler en donnant un coup de coude complice à Guillaume. Tu connais les règles, à toi de les suivre. À toi de décider quel genre d'élève tu veux devenir: je ne peux pas le faire à ta place, même si de temps en temps j'essaie.

Guillaume ne dit rien, mais quelques semaines plus tard, il se mit à poser toutes sortes de questions sur son grand-père Lewis.

Décharger Guillaume de son rôle de cible émotionnelle ne signifie pas adopter une attitude laxiste. M. Kesler avait un style bien particulier: il avait établi des règles strictes sur les conséquences d'un comportement inadéquat. L'équilibre entre autorité et libéralisme peut varier d'une famille à l'autre: en soi, ce n'est pas un problème. Ce qui compte, c'est que M. Kesler a réaffirmé ses règles sans s'énerver, sans accuser. Il a dit clairement à Guillaume qu'il allait s'occuper de ses propres problèmes. Il faut absolument que chaque parent appuie les décisions de l'autre, même s'il n'est pas toujours complètement d'accord.

Pour beaucoup d'entre nous, il serait impensable de partager avec nos enfants des problèmes aussi personnels que ceux de M. Kesler, ou que les miens quand je suis revenue de chez mes parents. Et pourtant, rien n'est plus efficace pour briser un schéma circulaire. Nous favorisons l'épanouissement de tous les membres de la famille dès que nous cessons de concentrer nos énergies (celles du souci et de la colère) sur celui qui sous-fonctionne et que nous commençons à partager notre propre problème face à la situation. Ceci implique la nécessité d'un passage de «Tu as un problème» à «J'ai un problème». Avec le temps, M. Kesler accomplit son travail de deuil, il modifia ses relations avec sa mère et sa sœur, et il put continuer à progresser dans la bonne voie.

Et M$^{me}$ Kesler? Si nous regardons le côté maternel du diagramme, que pouvons-nous prédire de sa relation avec Guillaume?

## La «brebis galeuse» de la famille

Guillaume occupe la même position familiale que Louis — la brebis galeuse de la famille de M$^{me}$ Kesler, son frère indigne qui ne compte plus les méfaits professionnels et personnels. Dans ce triangle familial clé, Louis joue le rôle extérieur de celui qui sous-fonctionne. Ses parents le blâment et sa sœur, M$^{me}$ Kesler, s'est éloignée de lui tout en jouant le rôle d'un tampon auprès de ses parents. Quand le stress n'est pas trop fort, elle bavarde avec sa famille au sujet de Louis et de ses problèmes; quand le stress est pesant, elle conseille ses parents sur la meilleure façon de se comporter avec lui, et quand ils ne tiennent pas compte de ses conseils, elle se met en colère.

La coupure émotionnelle qui s'est opérée entre M$^{me}$ Kesler et son frère a évacué toute l'angoisse de cette relation, mais l'a réinjectée dans la relation de M$^{me}$ Kesler avec son fils, en partie parce qu'il occupe la même position familiale que Louis, et parce que certaines caractéristiques physiques et de caractère rappellent à sa mère son frère «maudit». Bien souvent, l'intensité cachée d'une coupure ne se réveille qu'à une date anniversaire — par exemple, quand Guillaume aura douze ans, l'âge auquel Louis a commencé à s'attirer des ennuis, ou vingt-trois, l'âge qu'avait Louis au moment où M$^{me}$ Kesler a coupé les ponts. Dans la famille Kesler, l'intensité émotionnelle entre la mère et Guillaume n'apparut qu'une fois que M$^{me}$ Kesler eût cessé de jouer les intermédiaires et que la relation père-fils se fût stabilisée.

Dans une certaine mesure, nous avons tous tendance à nous confondre avec nos enfants, ainsi qu'avec d'autres membres de notre famille. Nous projetons sur nos enfants notre identité, nos désirs, nos peurs, nos besoins inconscients. Ce processus de projection est alimenté par nos problèmes émotionnels irrésolus avec nos frères et sœurs et nos parents. Si la mère n'opère aucun changement dans sa famille d'origine, les projections qu'elle fait sur sa famille actuelle n'en seront que plus intenses. Par exemple, elle encouragera Guillaume à devenir la vedette de la famille — le fils exceptionnel qui ne manifestera aucune des caractéristiques de la brebis galeuse. Ou alors, elle craindra que Guillaume ne devienne un enfant perturbé, irresponsable, comme Louis, et elle encouragera, sans le vouloir, ce processus en se concentrant excessivement sur lui. Peut-être Guillaume sentira-t-il que sa mère a besoin qu'il se comporte de telle ou telle manière, alors il obéira ou se rebellera. Dans l'un et l'autre cas, Mme Kesler et Guillaume auront bien du mal à s'épanouir.

Comme son mari, Mme Kesler a du travail à faire avec sa famille d'origine. Les renseignements qu'elle a fini par glaner sur la famille de son père et celle de sa mère lui ont permis de mieux comprendre pourquoi Louis courait plus de risques qu'elle de sous-fonctionner et de jouer les brebis galeuses. Elle a appris à observer les triangles et les schémas de sa famille d'origine, comme elle l'a fait avec sa famille actuelle, et elle a pris des mesures pour quitter le rôle d'intermédiaire qu'elle jouait entre Louis et ses parents. Pour ce faire, elle a maintenu le contact émotionnel avec les deux parties, sans jamais conseiller, sans prendre parti, sans discuter avec ses parents des problèmes de Louis. Elle a donc été obligée de prendre l'initiative d'un rapprochement avec son frère; petit à petit, elle a commencé à partager avec lui une partie de son expérience, y compris son propre problème de sous-fonctionnement. Au bout du compte, elle parvint à cesser de se concentrer et de réagir de façon excessive au comportement de son mari et de son fils, et elle ne se laissa plus dominer par la colère et le souci.

M. et Mme Kesler savent maintenant que les enfants sont remarquablement capables de gérer leurs problèmes dès que nous, adultes, prenons en charge les nôtres. Le travail qu'ils ont accompli tous deux est un véritable trésor pour leurs enfants, car ce sont les enfants qui bien souvent récoltent les problèmes irrésolus de leurs parents. Le deuil de M. Kesler, les problèmes de M^{me} Kesler avec son frère: tout cela vous paraît sans doute bien loin de notre point de départ, les femmes et la colère. Et pourtant, nous sommes toutes susceptibles de devenir les victimes de la colère, de la violence et de la stérilité des réactions qui interviennent dans toutes nos relations si nous n'avons pas su résoudre de façon directe et ouverte les problèmes émotionnels qui se sont posés dans notre famille d'origine — surtout les deuils et les séparations. Si nous ne comprenons pas le fonctionnement des triangles, notre colère nous maintiendra dans une position de blocage dans le passé, et ne pourra pas nous servir de guide dans l'avenir.

Regardons un triangle familial simple, passons en revue les principaux points que nous avons appris en observant les relations à trois.

## Pourquoi n'épouse-t-il donc pas une gentille petite juive?

Le jour de la première visite de Sarah, son fils Jérôme venait d'avoir trente-quatre ans.

— Mon fils sort avec une non-juive depuis plus de trois ans. Cette fille — elle s'appelle Julie — ne lui fait aucun bien, elle a des problèmes personnels épouvantables. Mon mari et moi savons qu'il sera malheureux s'il l'épouse, mais notre fils ne veut rien entendre.

Sarah me dit qu'elle se faisait beaucoup de souci pour Jérôme, mais il n'était pas bien difficile de voir qu'elle était aussi très en colère. En fait, toute leur relation était placée sous le signe de la colère.

Jérôme, appris-je, était le cadet de deux frères; il vivait encore avec ses parents. Malgré un bon diplôme, il allait d'un emploi à l'autre, et cette instabilité causait bien du souci à sa famille. Jérôme était donc en situation de sous-fonctionnement.

L'histoire de Sarah est un vieux classique: elle accomplit des efforts considérables pour changer son fils, malgré le fait que ses efforts ne font que perpétuer la situation.

Quel est le schéma de l'interaction? Sarah le décrit en disant qu'en situation de stress, elle accuse, puis elle s'éloigne. Parfois elle accuse Julie («Elle se fiche pas mal des autres!»), parfois elle accuse Jérôme («Je pense qu'en agissant ainsi, au lieu de faire un choix d'adulte, tu te révoltes contre ta famille.»). Quand Jérôme vole au secours de Julie, ou se défend lui-même, sa mère discute, puis elle s'éloigne. Tant que cela dure, le père de Jérôme s'éloigne de son fils et de sa femme, puis il se rapproche de sa femme pour discuter du problème de Jérôme.

Sarah se décrit comme celle qui occupe la position extérieure au triangle clé que forment Jérôme, Julie et elle-même.

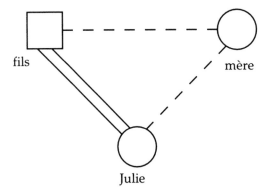

Quand Sarah critique Julie devant son fils, implicitement, elle le pousse à s'associer à elle contre sa fiancée. Si Jérôme la suivait, lui et sa mère se rapprocheraient aux dépens de Julie, et celle-ci occuperait alors, de façon temporaire, le pôle extérieur du triangle.

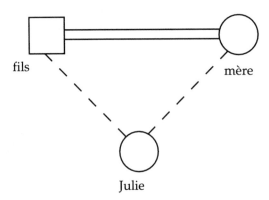

En fait, ce qui se produit le plus souvent, c'est que Jérôme vient au secours de Julie, ce qui, pour Sarah, revient à se liguer contre elle. À ce stade, le conflit éclate souvent entre la mère et le fils.

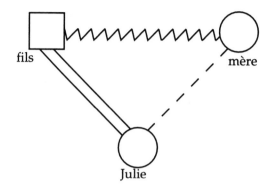

Sarah doit-elle dire à son fils qu'elle n'aime pas qu'il fréquente une femme non juive? Bien sûr! Sarah doit se sentir libre de partager ses opinions et ses sentiments avec Jérôme. Elle peut, par exemple, exposer à son fils le problème qu'elle se pose face à cette situation. Au lieu de cela, elle critique, elle conseille, elle accuse. Et même cela serait acceptable si elle s'en satisfaisait. Mais ce n'est pas le cas. Sarah nous dit que ses conversations avec Jérôme se terminent souvent de façon conflictuelle ou en éloignement. Cela dure depuis un certain temps, et Sarah se sent furieuse et insatisfaite.

Que gagne cette famille à maintenir le statu quo? Grâce au vieux schéma, Sarah et son fils conservent une forme d'intimité, mais c'est une intimité négative, comme celle qui liait Margot et sa mère (voir le chapitre IV). Le triangle mère-fils-fiancée sert à réduire l'angoisse familiale en maintenant cachés d'autres problèmes importants entre les membres de la famille. Il sert aussi à protéger Jérôme et Julie, et à éviter que n'apparaissent au grand jour les problèmes et les conflits de leur relation.

Que peut faire Sarah pour sortir du triangle? Les trois ingrédients principaux sont le calme, la distanciation et la ténacité.

- Rester calme. Sarah doit pouvoir réagir de façon raisonnable et rester sereine même quand le stress est présent. Angoisse et intensité émotionnelle sont deux forces qui font vivre les triangles.
- La distanciation. Il faut que Sarah laisse Jérôme et Julie gérer leur propre relation. Pas de conseil, pas d'aide, pas de critique, pas d'accusation, pas de «réparation», pas de sermon, pas d'analyse, pas de parti pris.
- La ténacité. Sarah doit maintenir le contact émotionnel avec son fils et en établir un avec Julie. Bien sûr, parfois, Sarah prendra de la distance dans les moments difficiles; mais distanciation ne doit pas être séparation.

## Vieille danse, nouveaux pas

Quand Sarah fut prête à sortir du triangle, elle tint ce discours à Jérôme:

—Tu sais Jérôme, je te dois des excuses. Je t'ai vraiment rendu la vie impossible. C'est vrai que j'ai bien du mal à me faire à l'idée que mon fils va épouser une non-juive: c'est vraiment difficile. Alors je me mets en colère, j'ai de la peine et tu me sers de cible. Mais je me rends compte maintenant que je suis responsable de mes propres sentiments; ce n'est pas à toi de faire le bonheur de ta mère. En revanche, c'est à toi de trouver la meilleure relation possible — tu es le seul à savoir s'il s'agit de Julie. Je ne peux pas prendre cette décision à ta place, je ne peux même pas savoir ce qu'il faut faire. Je n'ai jamais donné la moindre chance à Julie!

Jérôme regarda sa mère comme si elle venait de débarquer d'une autre planète.

—Je sais que je t'ai harcelé, poursuivit Sarah. Je sais que tu es tout à fait capable de choisir au mieux, sans mon aide. L'autre jour, je repensais à quelque chose. Avant de rencontrer ton père, je sortais avec un garçon que mes parents n'aimaient pas. Jamais je ne leur ai vraiment résisté, et pourtant j'étais adulte, je gagnais ma vie. Je me contentais de me glisser dehors en cachette pour le rejoindre! Et plus tard, mes parents ne voulaient absolument pas que j'épouse ton père. Alors, nous nous sommes enfuis tous les deux!

Sarah se mit à rire, et Jérôme referma sa bouche, qu'il avait gardée béante. Il regarda sa mère avec intérêt. C'était la première fois qu'elle partageait avec lui une partie de sa propre expérience ayant un rapport avec leur conflit.

—Es-tu jamais sortie avec un non-juif? demanda-t-il, ne sachant trop à quoi s'attendre.

—Vois-tu, je n'y ai même jamais pensé. C'était tout simplement impossible. Sarah, songeuse, poursuivit. Mais c'était moi, c'était autrefois. Toi et moi, ce n'est pas pareil.

Après cette conversation, Sarah se sentit merveilleusement bien. Mais le soir, en allant se coucher, elle était un peu triste. Elle s'énerva contre son mari, Paul, provoqua une querelle, ce qui la soulagea un peu de la tension liée à son changement d'attitude vis-à-vis de son fils. Sarah ressentait l'inconfort qui est fréquent lorsque nous commençons à modifier un vieux schéma relationnel et que nous instaurons une relation indépendante et adulte avec un membre de notre famille. Comme nous l'avons vu, les pressions viennent de l'extérieur, mais aussi de l'intérieur.

Deux semaines plus tard, Sarah fut rudement mise à l'épreuve. Jérôme fit plus ou moins entendre qu'il avait l'intention d'épouser Julie. Sarah sut rester calme, ne pas réagir violemment. Elle ne cacha pas le fait qu'elle avait toujours espéré une belle-fille juive; mais, par son attitude, elle montrait qu'elle respectait le jugement de Jérôme et qu'elle savait que le choix d'une épouse était de son ressort.

Puis Jérôme entreprit toute une série de contre-attaques. Il se mit à critiquer Julie devant sa mère.

—Tu sais, maman, c'était l'anniversaire du père de Julie. Je n'ai même pas pu la convaincre d'aller lui rendre visite ou de lui téléphoner.

De plus en plus souvent, innocemment, Jérôme invita sa mère à s'allier à lui pour critiquer Julie. Sarah se mordit la langue pour ne pas tomber dans le piège.

—Tu connais Julie mieux que moi, répondit-elle plutôt, parle-lui, tâche de savoir ce qu'elle ressent. Quel que soit le problème, je suis sûre que vous pouvez le résoudre tous les deux.

Sarah se mit à prendre l'initiative de voir Julie plus souvent, et découvrit en elle des qualités qu'elle aima et respecta.

Si Sarah avait cédé aux appels de son fils et critiqué Julie, elle aurait réinstauré l'ancien triangle. La seule différence aurait été que Julie, et non plus Sarah, aurait occupé le pôle extérieur. On change les positions, mais le triangle ne bouge pas. L'angoisse aurait été moindre, mais chaque protagoniste aurait perdu toute capacité à identifier et à négocier ses problèmes avec les autres.

Si les triangles empêchent les problèmes sous-jacents à toute relation à deux d'émerger, qu'arrive-t-il lorsqu'un triangle se brise? Voici un petit aperçu des changements qui se produisirent dans la famille huit mois plus tard.

## Jérôme et Julie

Jérôme et Julie savaient que leur relation était entachée d'un certain nombre de problèmes graves; Jérôme n'était pas réellement sûr que Julie était la femme de sa vie. Ses griefs envers Julie, ses propres hésitations à l'idée d'épouser une non-juive étaient autrefois étouffés par l'attitude de sa mère qui critiquait Julie: chaque fois, il venait au secours de sa fiancée.

Comme prévu, une fois Sarah sortie du triangle et prête à laisser Jérôme faire ce qu'il voulait, les véritables problèmes émergèrent. Si la relation entre Jérôme et Julie avait été plus solide, elle s'en serait trouvée renforcée. Apparemment, ce n'était pas le cas.

## Sarah et Jérôme

Moins Sarah réagissait à la relation de son fils avec Julie, plus la relation mère-fils devenait calme et ouverte. Une fois le triangle brisé, apparut le véritable problème, celui de l'autonomie de Jérôme. Lors d'une de nos conversations, Sarah me dit pour la première fois:

—Julie ou pas, je commence à me dire que Jérôme a du mal à quitter la maison. C'est un adulte, pourquoi vit-il encore chez ses parents? Parfois je me demande s'il n'y a pas un lien entre la difficulté qu'il éprouve à quitter la maison et ma difficulté à le laisser partir. Vous savez, je n'ai jamais été vraiment indépendante de ma mère. Quand elle s'est opposée à mon mariage avec Paul, nous avons fugué, et je suis restée plusieurs mois sans lui écrire. Je n'avais pas le courage de lui dire: «Je t'aime, maman, mais j'aime aussi Paul, et il s'agit de ma vie.» Je me suis contentée de couper les ponts, sans affronter le problème.

## Sarah et Paul

Paul est un homme tranquille, un peu renfermé, pas très doué pour l'intimité. Le triangle mère-fils-fiancée lui convenait bien car il lui permettait de rester en dehors de toute cette tourmente familiale. En outre, il pouvait se concentrer sur des problèmes de parents, et non pas sur des problèmes de couple. Quand Sarah cessa de consacrer toute son énergie à son fils, elle et Paul durent faire face à la distance et à l'insatisfaction que tous deux éprouvaient, et durent s'occuper un peu plus de leur relation à deux. En conséquence, Sarah demanda à Jérôme de déménager parce qu'elle et Paul vieillissaient et voulaient rester un peu seuls tous les deux. Jérôme se trouva un appartement, mais il s'accrocha encore, pour être bien sûr que ses parents étaient sérieux. Quand il se rendit compte qu'ils n'avaient aucune intention de le reprendre, et qu'ils allaient très bien sans lui, il put s'attaquer à ses propres problèmes professionnels et personnels.

Se concentrer sur l'enfant «à problèmes», telle est souvent la solution magique qu'adopte le couple pour éviter de regarder en face les problèmes conjugaux, ou toute autre relation difficile avec un parent ou un grand-parent. Les enfants sont incroyablement doués pour diagnostiquer la qualité de vie de leurs parents; inconsciemment, il arrive qu'ils aident la famille à s'en sortir en adoptant un comportement de sous-fonctionnement. L'enfant «à problèmes», bien souvent, fait de son mieux pour résoudre un problème familial et maintenir dans l'ombre tous les problèmes angoissants.

## Sarah et Sarah

Pour Sarah, le fait de se concentrer sur Jérôme et Julie lui évitait de penser à ses objectifs personnels. Une fois sortie du triangle, elle se retrouva d'un seul coup face à des questions sérieuses: «Quelles sont mes priorités? Quels sont mes objectifs aujourd'hui?» Elle fut confrontée à sa propre identité. Il est si facile d'éviter ce défi en nous concentrant sur notre partenaire et nos enfants: la société nous y encourage.

Réfléchissez: si vous consacrez toute votre énergie à un membre de votre famille qui est en difficulté, vous êtes-vous déjà demandé où vous mettriez cette énergie si cette personne disparaissait? Quand Sarah cessa de se consacrer à son fils, elle put s'occuper de sa propre vie. Jérôme, à son tour, commença à s'occuper de la sienne.

## CHAPITRE IX

# Travaux pratiques

*Réservés aux audacieux et aux courageux*

Faire du jogging, de la méditation, du *stretching*, se mordre la langue, compter jusqu'à dix…

À court terme, tout est bon pour gérer sa colère. Certains experts vous conseilleront de l'évacuer aussi rapidement que possible, d'autres spécialistes vous diront autre chose. Mais à long terme, ce n'est pas ce que vous faites de votre colère à un moment donné qui compte. Le plus important est de savoir si, avec le temps, vous deviendrez capable d'utiliser votre colère pour mieux vous connaître et découvrir de nouvelles façons de mener vos vieilles relations. Nous avons vu que la colère ne nous menait à rien si nous perpétuions les anciens schémas qui l'ont provoquée.

Si vous voulez vraiment opérer un changement dans une relation, lisez ce livre plusieurs fois. Tous les «trucs» se trouvent dans les histoires que j'y ai racontées. À vous de les rapprocher de votre propre vie. Les schémas que j'ai décrits sont universels, et je suis sûre que vous vous êtes reconnue plus d'une fois.

Néanmoins, au départ, vous éprouverez un certain découragement lorsque vous commencerez à changer le schéma de vos relations. Quand on se trouve entraîné dans la danse, il est très difficile de prendre de la distance et de repérer les schémas pour modifier nos comportements. Dans ce chapitre, je vous propose un certain nombre de travaux pratiques qui vous aideront à vous remettre en mémoire ce que vous avez appris, à mieux comprendre les triangles et les danses circulaires, et à tester votre capacité à adopter de nouveaux comportements. Vous pouvez vous associer avec une amie, ou bien former un groupe avec d'autres femmes qui auront lu ce livre et partageront avec vous leur expérience.

## L'observation

Commencez par observer votre propre style de gestion de la colère. Qu'entraîne chez vous la colère: des larmes, de la peine, du doute de soi, comme Karine avec son patron? Alternez-vous la soumission silencieuse et l'accusation stérile, comme Margot et sa mère? Tous, nous obéissons à des schémas prévisibles de gestion de la colère et des conflits, même s'ils varient en fonction des relations qui sont en cause. Par exemple, lorsque le conflit est sur le point d'éclater, vous vous disputez avec votre mère, vous vous éloignez de votre père, vous sous-fonctionnez avec votre patron, et vous essayez de vous rapprocher de votre petit ami.

Réfléchissez à votre style personnel: comment négociez-vous vos relations quand le stress se met de la partie? Personnellement, je réagis un peu de la manière suivante: je sous-fonctionne avec ma famille d'origine (j'oublie les anniversaires, je perds mes compétences, et pour finir je me retrouve avec des migraines, des diarrhées, des rhumes, ou tout cela réuni); au travail, je sur-fonctionne (je donne des conseils à tout le monde, je suis persuadée de détenir la vérité); je m'éloigne de mon conjoint (émotionnellement et physiquement); avec mes enfants, j'ai une attitude rageuse et accusatrice.

Si vous avez du mal à décrire votre style, voici quelques exemples pour vous aider.

*Ceux qui cherchent le rapprochement:*
- réagissent à l'angoisse en recherchant davantage d'intimité dans la relation;
- valorisent la discussion et l'expression des sentiments, et pensent que les autres devraient les imiter;
- se sentent rejetés et vexés chaque fois qu'un de leurs proches demande plus de temps, de distance, de solitude et veut s'éloigner;
- ont tendance à se rapprocher de façon presque frénétique, puis à se rétracter d'une manière glaciale si l'autre prend ses distances;
- se considèrent de façon négative comme «trop dépendants» ou «trop exigeants» dans une relation;
- ont tendance à critiquer leur partenaire en disant qu'il est incapable de maîtriser ses sentiments ou de vivre en situation d'intimité.

*Ceux qui s'éloignent:*
- cherchent la distance émotionnelle ou l'espace physique chaque fois que le stress monte;
- se considèrent comme des personnes autonomes, indépendantes — des «débrouillards» qui n'ont pas besoin d'aide;
- éprouvent des difficultés à montrer leur côté vulnérable et dépendant;
- se font étiqueter «indisponibles émotionnellement», «renfermés», «incapables d'exprimer leurs sentiments» par ceux qui les touchent de près;
- dans les relations personnelles, gèrent leur angoisse en se concentrant sur des projets professionnels;
- peuvent aller jusqu'à rompre une relation dès que les problèmes deviennent trop aigus, plutôt que d'essayer de tenir bon et de résoudre ces problèmes;
- s'ouvrent plus volontiers quand on cesse de les pousser ou d'essayer de se rapprocher d'eux.

*Les «sous-fonctionnants»:*
- souffrent de manque d'organisation dans plusieurs domaines;

- sous l'effet du stress, deviennent moins compétents et forcent les autres à prendre le relais;
- ont tendance à manifester des symptômes physiques ou émotionnels dès que le stress se manifeste, que ce soit en famille ou au travail;
- sont étiquetés: «patients», «fragiles», «maladifs», «à problèmes», «irresponsables»;
- ont du mal à montrer aux autres leur aspect vigoureux et compétent.

Les «sur-fonctionnants»:
- savent ce qu'il faut faire, non seulement pour eux, mais aussi pour les autres;
- ont tôt fait de donner des conseils, de secourir et de prendre les choses en main dès que le stress apparaît;
- évitent de se faire du souci à propos de leurs objectifs personnels et, pour ce faire, se concentrent sur les autres;
- ont du mal à exprimer leur côté sous-fonctionnant, vulnérable, surtout avec ceux qu'ils considèrent comme des personnes «à problèmes»;
- sont étiquetés: «on peut toujours compter sur lui» ou «elle va toujours bien».

Les accusateurs:
- réagissent à l'angoisse par une grande intensité émotionnelle et par des disputes;
- s'emportent vite;
- dépensent beaucoup d'énergie à essayer de changer quelqu'un qui ne veut pas changer;
- s'engagent dans des cercles répétitifs de disputes qui soulagent la tension mais perpétuent les vieux schémas;
- rendent l'autre responsable de leurs propres sentiments et de leurs actions;
- considèrent l'autre comme le seul obstacle au changement.

Nous l'avons vu, les femmes, traditionnellement, sous-fonctionnent et se rapprochent des hommes, sauf dans les domaines de la tenue de la maison, de l'éducation des enfants et de la vie émotionnelle, où bien souvent elles compensent en sur-fonctionnant. Généralement, les hommes prennent de la distance en situation de stress: on les y encourage. Hommes et femmes, mais surtout les femmes, ont tendance à accuser les autres, et pour de très bonnes raisons. Ces raisons incluent, par exemple, notre vieille colère vis-à-vis du rôle que la société nous impose — dépersonnalisation et infériorité — ainsi que les tabous qui nous empêchent de reconnaître notre statut de soumission et de nous révolter contre lui, notre peur, notre culpabilité quand nous pensons à l'éventualité de perdre une relation. Barbara, dans le chapitre II, avait adopté une attitude d'accusation et de sous-fonctionnement par rapport à son conjoint; ce premier exemple illustrait bien comment le système de l'accusation remplit deux fonctions: il nous permet de nous révolter, mais aussi de préserver le *statu quo* en ne prenant pas les dispositions nécessaires.

Lorsque vous analyserez votre propre style, souvenez-vous qu'aucune des catégories que je viens d'énumérer n'est en soi bonne ou mauvaise. Ce sont des méthodes différentes pour gérer l'angoisse. Néanmoins, vous serez en difficulté si vous vous trouvez à la dernière extrémité d'une de ces catégories, ou si vous n'êtes pas capable d'observer et de modifier le schéma qui vous bloque dans une situation de colère.

Commencez par observer le style des autres. Comment se positionne-t-il par rapport au vôtre? Par exemple, si vous sur-fonctionnez et si vous vivez auprès de quelqu'un qui sous-fonctionne, au travail ou à la maison, vous vous admirez mutuellement quand il n'y a pas d'angoisse. En revanche, dès que l'angoisse apparaît, le problème de la responsabilité commence à devenir gênant: Qui prend les décisions? Qui a raison? Qui contrôle la situation? («Pourquoi as-tu pris cette décision sans même m'en parler?») Les aînés des familles sont les plus susceptibles de tomber dans ce travers, surtout si les deux partenaires ont des frères et sœurs cadets du même sexe qu'eux. Si vous sous-fonctionnez et que vous viviez avec un «sous-fonctionnant», chacun d'entre vous passera son temps à accuser l'autre de ne pas prendre ses responsabilités, ou simplement de ne pas en faire assez. Les factures ne sont jamais payées, personne ne se lève lorsque le bébé pleure. Dans une association de sous-fonctionnants ou de sur-fonctionnants, l'escalade peut parfois mener à des situations dramatiques.

Entraînez-vous à observer les modèles d'interaction qui sont représentatifs de votre colère. Quand les choses deviennent difficiles, prenez un peu de recul et essayez de repérer qui fait quoi, quand il le fait, et tirez-en les conclusions. Le sens de l'observation est une qualité essentielle si vous voulez vous jeter à l'eau.

## Jetez-vous à l'eau

Formez le projet de gérer votre colère de façon différente — décidez d'entreprendre une action qui change radicalement vos vieilles habitudes. Servez-vous du livre, choisissez une petite tâche bien particulière que vous pourrez accomplir en toute quiétude et continuez à vous assumer face aux contre-attaques et à votre propre angoisse. Prévoyez les réactions de l'autre, et les vôtres. Même si vous ne parvenez pas toujours à garder votre position fermement, votre attitude différente sera la meilleure méthode pour en apprendre davantage sur votre identité et votre relation. Ce n'est qu'après avoir commencé à modifier une relation qu'on peut la définir vraiment. Voici quelques exemples:

### Brisez une danse circulaire

Si vous cherchez à vous rapprocher de quelqu'un qui s'éloigne, dans votre couple ou dans une relation amoureuse, relisez attentivement le chapitre III, qui décrit en détail la façon dont Sandra est sortie du cercle qu'elle formait avec Laurent. Si vous sur-fonctionnez vis-à-vis d'un enfant, relisez le chapitre VIII, concentrez-vous sur les actions entreprises par M. et M$^{me}$ Kesler. Si vous vous trouvez dans une situation de sous-fonctionnement par rapport à votre partenaire, relisez l'histoire de Stéphanie et Jeanne (chapitre VII), ou celle de Barbara (chapitre II). Décidez à l'avance d'une durée (par exemple trois semaines) pendant laquelle vous vous en tiendrez à vos nouvelles positions. Ensuite, faites le bilan.

## *Définissez votre identité propre*

Trouvez deux ou trois manières de définir votre identité par rapport aux membres de votre famille, sans les critiquer ni essayer de les changer, sans vous mettre sur la défensive en situation d'angoisse. Pour certaines d'entre nous, le fait de partager compétence et force est un grand pas vers la définition d'une identité plus complète, plus équilibrée. Dans d'autres cas, il sera plus courageux de faire savoir aux autres que nous sommes déprimées depuis un moment, que nous avons des problèmes professionnels ou personnels. Si nous nous trouvons dans une relation où nous avons toujours cédé, le fait d'affirmer notre opinion propre et de la défendre peut représenter un pas décisif vers la définition de notre identité. Plus nous y travaillons, plus nous serons à l'aise pour réfléchir à notre colère et à la meilleure façon de la gérer.

## *Évitez les coupures*

Si vous avez fait une coupure avec un membre de votre famille, ce peut être un acte de courage que de lui envoyer une carte d'anniversaire, ou une carte postale durant vos vacances. Rappelez-vous que les gens — comme tous les êtres vivants — ne se développent pas bien quand ils sont coupés de leurs racines. Si, au plan émotionnel, vous vous êtes isolée de votre famille, vos autres réactions en souffriront car vous réagirez plus violemment. Une telle coupure émotionnelle génère une angoisse cachée qui peut fort bien se manifester sous la forme d'une colère contre quelqu'un d'autre. Prenez votre courage à deux mains, renouez le contact.

## *Réfléchissez bien, bougez lentement*

Si vous êtes en colère, réfléchissez bien à la nouvelle situation que vous voulez établir avant de vous lancer dans l'action. Par sa nature même, la colère nous pousse à agir vite, alors méfiez-vous. Si vous vous lancez dans une action à laquelle vous n'êtes pas préparée, ou à laquelle vous n'avez pas assez réfléchi, vous essuierez un échec cuisant.

Alice en voulait à son ex-colocataire, Lucie, qui avait déménagé un an plus tôt, mais qui avait laissé ses affaires dans le sous-sol de l'appartement. Il y avait de la place, mais pour des raisons qui lui étaient personnelles, Alice voulait que Lucie reprenne ses affaires. Plus Lucie lui donnait des prétextes fallacieux («Je n'ai pas les moyens de m'en occuper.» «Il fait trop froid en ce moment.»), plus Alice était en colère. Pendant longtemps, Alice avait été en position de sur-fonctionnement avec sa colocataire. Bien souvent, elle l'avait aidée à se sortir de l'angoisse, donc elle connaissait bien le scénario.

Après avoir assisté à un de mes séminaires, elle se précipita chez elle, pleine d'enthousiasme et écrivit à Lucie la lettre suivante:

> *Chère Lucie,*
> *Les affaires que tu m'as laissées me posent un véritable problème. Je suis peut-être égoïste ou déraisonnable, mais, quelle que soit la raison, je ne peux plus supporter cette situation. Si tu ne récupères pas tes affaires dans les trois semaines, je les donne à l'Armée du Salut.*
> *Désolée,*
> *Alice*

Lucie ne vint pas chercher ses affaires et Alice les donna à l'Armée du Salut. Lucie réagit violemment, furieuse et désespérée. Quant à Alice, elle se sentit coupable, pleine de remords et triste. Alice n'a pas pris la mauvaise décision. Le problème est qu'elle s'est trop hâtée vers une solution qui ne lui convenait pas.

La lutte de Carole pour définir de nouvelles limites avec son père (chapitre VI) montre bien qu'il faut souvent du temps et des efforts pour définir une position qui soit cohérente vis-à-vis de nos valeurs et de nos opinions — une position à laquelle nous pourrons nous tenir sans éprouver de l'angoisse et de la culpabilité à chaque contre-attaque.

Souvenez-vous que depuis bien longtemps, les femmes, traditionnellement, assument la responsabilité des sentiments des autres et s'occupent d'eux aux dépens d'elles-mêmes. Pour certaines d'entre nous, il s'agit de ramasser les chaussettes sales ou d'assumer tout le travail émotionnel dans le couple; pour d'autres, il s'agit de se montrer aussi faibles, soumises, dépendantes et incompétentes que possible pour ne pas constituer une menace pour les autres. Nous pouvons changer cet héritage, mais ce n'est pas facile. Alors réfléchissez bien.

## *Préparez votre résistance*

Vous allez vous exposer non seulement aux réactions des autres, mais aussi à votre propre résistance interne. Élisabeth a vingt-neuf ans. Elle est avocate, et elle éprouve envers ses parents une colère chronique. Elle a l'impression qu'ils veulent la maintenir dans le rôle d'une enfant parce qu'ils refusent de dîner chez elle. Chaque fois qu'ils lui rendent visite, ils insistent pour l'emmener au restaurant et pour payer l'addition. Quand Élisabeth elle-même fut prête à changer, elle trouva le moyen de faire comprendre à ses parents qu'il était important pour elle de pouvoir les recevoir sur son propre terrain. Elle leur prépara un dîner raffiné, symbole de sa compétence de femme adulte, et, à sa grande surprise, ses parents la félicitèrent chaleureusement.

Le lendemain, Élisabeth était déprimée et avait une migraine. Elle commençait à faire le deuil de l'ancien lien qui l'unissait à ses parents et qui la protégeait de cette sensation de solitude et d'isolement qui accompagne immanquablement notre évolution vers la maturité. Cette semaine-là, son père fit une chute en jouant au golf et se retrouva avec une jambe dans le plâtre. Il faut absolument s'armer contre les contre-attaques, mais aussi contre nos propres résistances. Si vous avez l'intention d'établir avec un membre de votre famille d'origine une relation plus adulte, plus personnelle, lisez et relisez le chapitre IV.

En réfléchissant ou en discutant, vous finirez par trouver quelle tâche audacieuse vous avez envie d'accomplir. Si, dans votre famille ou votre cercle d'intimes, la peur du changement est forte, commencez par une relation plus souple, moins importante pour vous — un collègue, un voisin, un copain. Où que vous commenciez, quelle que soit la tâche que vous choisirez, voici un petit résumé de ce qu'il faut garder en mémoire quand on est en colère.

1. *Quand un problème vous préoccupe sérieusement, exprimez-vous.* À l'évidence, nous ne sommes pas obligées d'exprimer tous nos sentiments d'injustice, toutes nos petites irritations. Laisser passer peut aussi être un acte de maturité. Mais il faut absolument s'exprimer si le silence provoque chez nous amertume, rancœur et douleur. Nous nous dépersonnalisons chaque fois

que nous nous abstenons d'exprimer notre position sur un sujet qui nous tient à cœur.

2. *Ne battez pas le fer pendant qu'il est chaud.* Une bonne dispute suffira parfois à aérer une relation, mais si votre objectif est de modifier un schéma bien enraciné, ne choisissez surtout pas pour vous exprimer le moment où vous ressentez le plus de colère ou d'émotion. Si vous sentez l'émotion vous envahir au beau milieu d'une conversation, vous pouvez toujours dire: «Il me faut un peu de temps pour mettre de l'ordre dans mes idées. Fixons un autre rendez-vous, nous pourrons en reparler.» Exiger qu'on vous laisse seule un moment n'est pas la même chose que de s'éloigner froidement ou d'opérer une véritable coupure émotionnelle.

3. *Prenez tout votre temps pour réfléchir au problème et clarifier votre position.* Avant de parler, posez-vous les questions suivantes: Dans cette situation, qu'est-ce qui me met en colère? Quel est le véritable problème? Quelle est ma position? Quel est mon objectif? Qui est responsable de quoi? Que veux-je changer, exactement? Que suis-je prête à accepter et à refuser?

4. *N'utilisez jamais de tactiques situées «au-dessous de la ceinture».* J'entends par là: l'accusation, l'interprétation, l'analyse, l'étiquetage, le diagnostic, le sermon, la leçon de morale, l'autoritarisme, l'avertissement, l'interrogatoire, la moquerie… Ne dévalorisez pas l'autre.

5. *Utilisez des phrases qui commencent par «Je».* Apprenez à dire: «Je pense que…» «J'ai l'impression que…» «Je crains que…» «Je veux que…» Les phrases qui commencent par «Je» ont le mérite d'exposer une affirmation qui nous concerne personnellement sans critiquer ou blâmer l'autre, sans le rendre responsable de nos sentiments et de nos réactions. Attention aux affirmations déguisées (du style: «Je pense que tu es autoritaire et égocentrique.»).

6. *Ne restez pas dans le vague.* («Je veux que tu sois plus réceptif à mes besoins.») Expliquez vraiment à l'autre ce que vous attendez de lui. («En ce moment, la meilleure aide que tu puisses

m'apporter est de m'écouter, tout simplement. Je n'ai pas besoin de conseils.») Ne vous attendez pas que les autres anticipent vos besoins ou fassent des choses que vous ne leur avez pas demandées. Même ceux qui vous aiment ne sont pas devins.

7. *N'oubliez jamais que les gens sont différents*. Nous sommes en mesure d'échapper aux relations fusionnelles à partir du moment où nous reconnaissons qu'il existe autant de conceptions du monde que d'individus. Si vous essayez de savoir qui détient la vérité, vous perdez votre temps. Le fait qu'il existe des perspectives différentes et des réactions variées ne signifie pas nécessairement que les uns ont raison et les autres ont tort.

8. *Ne prenez jamais part à des discussions intellectuelles qui ne mènent nulle part*. Ne faites pas de sur-place, n'essayez pas de convaincre les autres que vous avez raison. Si l'autre ne vous écoute pas, dites tout simplement: «Cela te paraît peut-être insensé, mais c'est ce que je pense.» Ou bien: «Je comprends que tu ne sois pas d'accord; mais visiblement, nous voyons les choses différemment.»

9. *Sachez que toute personne est responsable de son propre comportement*. N'accusez pas votre belle-mère d'empêcher votre père de se rapprocher de vous. Si la distance entre vous et votre père vous perturbe, c'est à vous de trouver une nouvelle approche à la situation. Le comportement de votre père relève de sa responsabilité, pas de celle de sa femme.

10. *Ne dites jamais à l'autre ce qu'il pense, ce qu'il ressent, ou ce qu'il devrait penser ou ressentir*. Si l'autre se met en colère après un de vos changements, ne critiquez pas ses sentiments, ne lui dites pas qu'il n'a pas le droit d'être en colère. Dites plutôt: «Je comprends que tu sois en colère, et je le serais peut-être aussi à ta place. Mais j'ai bien réfléchi, et j'ai pris ma décision.» Souvenez-vous que ce n'est pas parce qu'on a le droit d'être en colère que l'autre est responsable.

11. *Évitez de parler à la place d'une tierce personne*. Si le comportement de votre frère vous met en rage, ne dites pas: «Ma

fille était très vexée que tu ne prennes pas le temps de venir la voir jouer à la fête de l'école.» Essayez plutôt: «Ça m'a vexée que tu ne viennes pas. Tu comptes beaucoup pour moi, et j'ai vraiment regretté que tu ne sois pas là.»

12. *Ne vous attendez pas à provoquer des changements par la violence.* Dans les relations importantes, les changements ne se font que très lentement. Si vous modifiez, même légèrement, votre attitude, on vous testera quelques fois pour être bien sûr que vous êtes sérieuse. Ne vous découragez pas si vous échouez à plusieurs reprises dans votre tentative de mettre en pratique la théorie. Souvent, tout commence bien, et cela se gâte dès que la situation s'échauffe. Mais l'échec occasionnel fait partie du processus, soyez patiente.

Bien sûr, le plus important, c'est votre capacité à assumer la responsabilité du rôle que vous jouez dans le maintien du schéma relationnel qui provoque votre colère. Les triangles sont les schémas les plus difficiles à maîtriser, c'est pourquoi nous allons en réviser les principaux éléments.

## Cessez de cancaner

Si Suzanne vous met hors de vous, elle doit être la première à le savoir. Si le comportement de votre père vous irrite, lui en parlez-vous directement ou bien vous adressez-vous à votre mère? Quand vous en voulez à votre ex-conjoint ou à votre fils, téléphonez-vous à votre fille? Si votre collègue vous énerve parce que vous pensez qu'il ne fait pas son travail, lui dites-vous directement ou parlez-vous à son supérieur hiérarchique derrière son dos?

Quand deux personnes cancanent, elles entretiennent une relation aux dépens d'une tierce personne. C'est une des variations du triangle. Les triangles servent à atténuer l'angoisse, ils ne sont pas dramatiques dans la mesure où ils restent transitoires et souples. Mais quand un triangle s'enracine dans une famille, une amitié ou une relation professionnelle au point qu'il empêche toute relation saine, il faut absolument le briser.

## Les triangles au bureau

Supposons que Suzanne vous agace prodigieusement parce qu'elle passe trop de temps à boire son café. Résultat: son travail vous revient. Vous essayez de lui parler, mais elle se met en colère, adopte une position de défense. Alors, vous abordez Solange dans le couloir et lui faites part de votre sentiment, lui demandant son appui: «Suzanne est vraiment égoïste et injuste, n'est-ce pas?» Si Solange vous prête une oreille compatissante, votre angoisse diminue. Peut-être cela va-t-il vous aider à vous calmer et à réfléchir plus sereinement au meilleur moyen de parler à Suzanne. Ce type de triangle transitoire ne fait de mal à personne.

Supposons maintenant qu'en compagnie de Solange, vous continuiez à dire du mal de Suzanne derrière son dos. Ceci détourne le problème et vous empêche d'essayer de le résoudre directement avec Suzanne. Vous vous rapprochez de Solange parce que Suzanne reste en dehors, et ainsi vous détournez votre colère au lieu de la gérer. Si le triangle persiste, voici quelques hypothèses sur la suite des événements:

- La relation entre Solange et Suzanne souffrira des problèmes irrésolus entre vous et Suzanne. Par exemple, Solange s'éloignera de Suzanne ou se méfiera d'elle. Et si, après tout, Solange aime bien Suzanne, elle se sentira coupable envers vous.
- L'angoisse de Suzanne va monter, et elle réagira en sous-fonctionnant davantage encore. Plus deux personnes parlent entre elles d'un tiers qui sous-fonctionne (plutôt que de lui en parler directement), plus ce dernier aura d'efforts à faire pour devenir compétent.
- Vous éprouverez de plus en plus de difficulté à négocier vos différends avec Suzanne de façon calme et claire. Enfin, votre relation avec elle ne pourra pas être pire.

Cela ne servirait donc à rien de parler à Solange de votre problème avec Suzanne? Si votre intention est de demander à Solange ce qu'elle pense du problème, et si cette dernière est capable de s'exprimer de façon impartiale, sans prononcer de diagnostic ni s'attaquer à l'une ou à l'autre, vous pourrez éviter la formation du triangle. Néanmoins, la plupart du temps, nous partons pleines de bonnes intentions: nous voulons éclaircir la situation, comprendre le comportement de l'autre. Hélas, à l'arrivée, nous nous retrouvons à critiquer l'autre. C'est ainsi que se forme le triangle. Si nous avons quelque chose à reprocher à quelqu'un, il est inutile d'en parler à une autre personne que lui.

Voici quelques conseils qui vous aideront à éviter les triangles au bureau. Ces conseils s'appliqueront aussi bien à la maison ou avec vos amis.

1. *Si vous en voulez à quelqu'un, dites-le-lui.* Même si Suzanne résiste, se révolte, même si elle se comporte mal, c'est à elle que vous devez avoir affaire. Ce qui ne veut pas nécessairement dire qu'il faille laisser éclater votre colère. Servez-vous de tout ce que vous avez appris dans ce livre.

2. *Si vous voulez gérer votre colère de façon satisfaisante, prenez le bon chemin, soyez franche.* Par exemple, imaginons que Karine (chapitre V) ait demandé à son patron de changer sa notation, et qu'il ait refusé. Si Karine veut qu'un tiers revoie sa note, elle se renseignera sur la procédure à suivre et avertira son patron de ce qu'elle a l'intention de faire. Si vous faites intervenir un tiers sans cachotteries, si vous suivez la voie hiérarchique, vous pourrez peut-être éviter la formation d'un triangle.

3. *Quand vous êtes en colère, parlez en votre nom propre.* Que vous vous adressiez à un supérieur ou à un subordonné, ne cédez pas à la tentation de faire intervenir un tiers anonyme en disant, par exemple: «Les autres vous trouvent difficile à vivre.» Ou: «On s'est plaint de votre attitude.» Les critiques anonymes ne font qu'augmenter l'angoisse: un tel procédé n'est ni équitable ni efficace. Si vous avez un problème avec quelqu'un, dites «je».

4. *Évitez les secrets.* Si vous pensez que c'est votre devoir de dire à Esther qu'on la critique et qu'on parle d'elle dans les couloirs — «Esther, il faut que tu le saches: Thomas dit autour de lui que tu rebutes les clients.» —, sachez que sans doute Esther

voudra s'adresser directement à celui qui dit du mal d'elle. Si vous voulez obtenir son silence — «Esther, n'en parle surtout pas à Thomas, il comprendrait que c'est moi qui te l'ai dit.» —, ne dites rien du tout.

5. *Ne jouez jamais la tierce personne, le pôle du triangle.* Si l'on vient se plaindre à vous, écoutez attentivement, mais ne prenez pas parti. Ce n'est pas difficile, contrairement à ce que l'on pourrait croire. Souvenez-vous que si vous refusez de jouer le jeu, vous aidez les autres à gérer leur colère et à négocier leurs différends. Alors restez calme, serein, ne participez pas.

Cette position neutre, mais pas indifférente, est, à long terme, la plus efficace pour tout le monde, puisqu'elle favorise l'éclosion de la créativité des autres. Supposons, par exemple, que vous soyez la supérieure hiérarchique d'Esther, et que Thomas vienne se plaindre à vous du fait qu'Esther est incorrecte avec la clientèle. Vous pouvez pousser Thomas à s'adresser directement à Esther. S'il dit: «Mais je lui en ai parlé deux fois, elle ne m'écoute pas», taquinez-le, encouragez-le à prendre Esther par le col et à faire une troisième tentative. Ou alors, la prochaine fois que vous croiserez Esther, dites-lui, l'air de rien: «Dis donc, j'ai l'impression que Thomas a une dent contre toi. Vous devriez en parler calmement.» Si vous conservez cette attitude sereine, impartiale et montrez que vous êtes certaine que les deux protagonistes sont capables de résoudre leur problème, vous verrez qu'ils y parviendront.

## Les triangles naissent à la maison

Vous venez de terminer le ménage dans la cuisine; le téléphone sonne. C'est votre mère, qui paraît bouleversée. «Connais-tu la dernière de ton frère Joseph? Il s'est remis à boire, il va encore perdre son emploi. Je me demande s'il deviendra adulte un jour!» Ou encore: «Ton père refuse catégoriquement de payer l'université pour ta sœur, ça me rend malade. Il a toujours été radin, et depuis qu'il a épousé Denise, ça ne s'arrange pas.»

Que faites-vous?

## POSITION 1

Vous vous joignez à votre mère, et, en chœur, vous exprimez votre colère et vos critiques. Ou bien vous l'écoutez d'une oreille compatissante puis passez les dix minutes suivantes à parler des problèmes psychologiques de Joseph ou de l'avarice de votre père.

## POSITION 2

Vous venez au secours de l'autre: «Si tu l'avais moins gâté, Joseph n'en serait pas là.» Ou bien: «J'ai l'impression que tu ne comprends pas que Papa a des difficultés financières en ce moment.»

## POSITION 3

Vous donnez des conseils, vous essayez de rester neutre. Vous tentez d'expliquer les comportements de chacun, d'aider votre mère à être plus objective, plus raisonnable.

## POSITION 4

Vous bouillez de rage et en voulez à votre mère de vous mettre dans une telle situation. Sans rien dire, vous décidez de l'éviter autant que faire se peut: elle est vraiment impossible. Déménager en Alaska, peut-être?

Vous êtes-vous reconnue? Examinons tout cela d'un peu plus près.

*Position 1.* Vous vous rapprochez de votre mère aux dépens de votre père ou de votre frère, qui occupe le pôle extérieur du triangle. Vous vous alliez à votre mère pour accuser un autre membre de la famille.

*Position 2.* Votre mère a l'impression d'être au pôle extérieur du triangle. Elle dirige sa colère contre vous parce que vous ne l'aidez pas, ou que vous ne voyez pas la «vérité» en face. Vous accusez votre mère tout en secourant les autres.

*Position 3.* Vous essayez d'aider les deux parties et d'être le thérapeute de la famille, ce qui est impossible. Soit votre mère ignorera votre avis, soit elle vous dira que cela ne marche pas. Vous avez pris dans le triangle la position du réparateur, du pacificateur.

*Position 4.* Vous vous efforcez de diminuer votre angoisse en évitant votre mère. À long terme, vous ne résolvez rien du tout, et vous pouvez être certaine que toute cette colère et cette intensité cachées ressortiront ailleurs. Vous occupez dans le triangle une position d'accusation et de distance par rapport à votre mère.

Aucune de ces positions n'est fautive, pour peu qu'elle soit transitoire et souple. Mais, comme le montre l'histoire de la famille Kesler, il arrive que les positions se figent et s'enracinent. En tant que filles, il nous arrive souvent d'occuper un pôle du triangle que nous formons avec notre mère et un autre membre de la famille — notre père (si nos parents sont séparés émotionnellement, mais pas divorcés, ce triangle peut avoir des conséquences particulièrement graves), la mère de notre mère, un frère ou une sœur. Tant que nous jouons un rôle dans ce triangle, notre relation à la mère est influencée par sa relation à l'autre, et vice versa. En fait, toutes les relations qui sont en jeu dans le triangle sont influencées par les problèmes qui affectent les autres. Et quand les triangles s'enflamment, colère et stress volent bas, mais les problèmes importants restent irrésolus. Souvenez-vous aussi qu'un triangle, ce n'est pas quelque chose que l'autre vous inflige. Pour qu'il y ait triangle, il faut que chaque pôle participe activement. Chacun peut en sortir quand il le veut — mais il est vrai qu'une telle action génère de l'angoisse.

Si vous êtes capable de travailler sur un des triangles qui affectent votre famille d'origine, cela vous aidera à gérer votre colère; en outre, cela influencera toutes vos autres relations. Voulez-vous essayer? Comme d'habitude, on commence par observer.

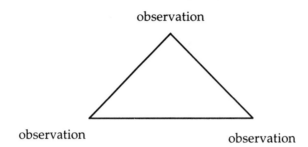

observation

observation                    observation

## Améliorez votre sens de l'observation

Essayez de tracer le diagramme de votre famille. Prenons un exemple: lorsque votre mère vous appelle pour vous dire: «Tu connais la dernière de ton frère», vous faites peut-être partie d'un triangle dont les trois pôles sont vous-même, votre mère et votre frère.

Quand tout va bien, vous parlez des problèmes de Joseph à votre mère. La relation entre votre mère et Joseph demeure calme et distante; en effet, votre mère diminue son angoisse en vous parlant plutôt que de parler directement à son fils. La relation entre vous et votre mère reste calme et intime; vous vous concentrez sur les problèmes de votre frère au lieu d'identifier et de résoudre les questions qui se posent dans votre relation. Voici à quoi ressemble votre triangle:

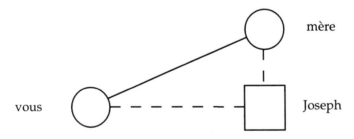

mère

vous                    Joseph

Quand le stress monte, le conflit éclate entre votre mère et votre frère. Vous adoptez une position de médiateur, vous essayez d'aider tout le monde. Vous dites à votre frère: «Tu sais, maman t'aime vraiment.» Vous conseillez votre mère: «À mon avis, il lui faut de la poigne. Il n'a pas mauvais fond, il essaie de voir jusqu'où il peut aller.» Votre relation avec votre mère et votre frère s'intensifie, le conflit règne entre la mère et le frère. Voici à quoi ressemble le triangle:

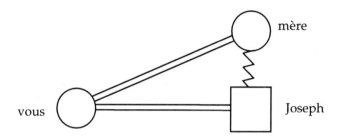

Si la tension monte davantage, le triangle se modifiera encore. Votre mère se met en colère contre vous et vous reproche de ne pas avoir su voir la vérité sur votre frère. Joseph se met en colère après vous parce que vous n'avez pas pris son parti face à votre mère. Vous vous mettez en colère après l'un ou l'autre à cause de leur comportement vis-à-vis de vous ou de l'un envers l'autre. Tous trois êtes en situation d'accusation, et le conflit règne sur les trois côtés du triangle.

Maintenant, vous êtes capable de déterminer votre position dans le triangle familial. «Joseph», ce peut être votre père, votre grand-mère, votre cousin, votre tante. Et si vous n'êtes pas persuadée, essayez encore.

Comment répondriez-vous au coup de téléphone de votre mère si votre but était de sortir du triangle? Fermez le livre, réfléchissez bien avant de continuer à lire. Si les choses ne sont pas claires, relisez le chapitre VIII.

## Comment briser un triangle

Quand votre mère appelle pour parler de Joseph (ou quand lui appelle pour vous parler d'elle), tâchez de feindre l'indifférence. Souvenez-vous que les triangles sont alimentés par les émotions et l'angoisse (y compris la vôtre). Plus vous serez calme, mieux ce sera. Dites: «Eh bien, je ne sais pas ce que cherche Joseph. Je n'y comprends rien, je ne sais pas quoi dire. Et toi, maman, qu'est-ce que tu fais en ce moment?» Quand quelqu'un vous pousse à formuler une opinion ou à prendre parti, vous pouvez très bien ne faire ni l'un ni l'autre et tout simplement exprimer votre confiance dans les deux personnes: «Je n'ai pas la moindre idée de ce qui se passe, mais je vous aime tous les deux et je suis sûre que vous allez très bien vous débrouiller.» Si votre mère continue à se concentrer sur Joseph, parlez-lui directement, sans la blâmer. «Tu sais, maman, je préférerais vraiment qu'on parle de nous. On parle toujours de mon frère. Je sais que tu as des problèmes avec lui, mais je ne sais vraiment pas quoi faire. Quand je suis avec toi, j'aime parler de toi. Quand je suis avec lui, je parle de lui. Si tu me disais plutôt...» À cas extrêmes, solutions extrêmes: «Maman, je ne veux pas entendre parler de Joseph. Je vous aime tous les deux, je ne peux pas vous aider, et cela me met mal à l'aise de t'entendre parler de lui.»

Le choix des mots compte beaucoup moins que votre capacité à préserver votre position chaleureuse, impartiale, calme. Exprimez le fait que votre relation avec les deux personnes est très importante, que vous ne pouvez rien faire pour les aider — conseil, accusation, critique — parce que c'est une affaire entre les deux. Et surtout, souvenez-vous qu'un schéma ne se modifie pas d'un seul coup: il faut du temps... et quelques échecs.

## *Faites, ne faites pas*

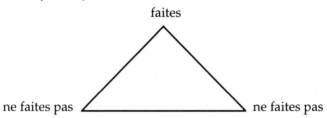

faites

ne faites pas                    ne faites pas

Voici quelques conseils sur ce qu'il faut faire et ne pas faire si vous occupez une position accusatrice dans un triangle familial, comme la mère dans l'exemple que nous venons d'examiner. Non seulement il est difficile de ne pas se mêler des conflits des autres, mais il faut bien du courage pour maintenir les autres hors de nos propres conflits.

1. *Si vous êtes en colère après un membre de votre famille, réglez le problème directement avec lui.* Si votre réaction est de dire: «J'ai tout essayé, rien ne marche», relisez le livre, trouvez de nouvelles approches. Si vous vous sentez bloquée à l'intérieur d'une relation non satisfaisante, si vous voulez en parler, faites-le avec quelqu'un qui est extérieur à la famille et qui n'entretient pas de relation avec la personne en question. En effet, il peut être extrêmement utile de partager votre dilemme avec une amie qui a connu le même genre de problème. À condition bien sûr que vous soyez capable de ne pas accuser.

2. *Ne vous confiez pas à un enfant comme s'il était un confesseur ou un thérapeute,* même s'il est grand. N'essayez pas de protéger vos enfants en leur parlant de vos problèmes avec leur père, même si vous êtes persuadée qu'il faut qu'ils sachent la vérité. Les enfants découvrent eux-mêmes leurs propres vérités au cours de leurs expériences.

3. *Ne confondez pas intimité et secret.* Toutes les générations ont besoin d'intimité. Les enfants ont besoin de leur intimité, les parents aussi. Le secret, en revanche, est à proscrire car il est le signe d'un triangle quand il intervient entre les générations

(«Ne dis pas à ton père que tu t'es fait avorter, cela lui ferait trop de mal.» «Ne dis pas à ta sœur que ton père est au chômage, elle en parlerait aux voisins.» «Papa, je me suis installée avec Alex, mais ne le dis surtout pas à maman.»). Nos motivations sont très respectables en apparence («Il ne le supporterait pas.»), mais en réalité, nous demandons à l'autre de se rapprocher de nous aux dépens d'un tiers. Si c'est à vous qu'on confie un secret, faites savoir qu'il est des secrets que vous n'avez aucune envie de garder.

4. *Maintenez la communication dans la famille, ne poussez pas les autres à prendre part à vos disputes.* Vous pouvez très bien dire à votre mère ou à vos enfants: «C'est vrai, François et moi avons bien des problèmes en ce moment. Nous faisons notre possible pour les résoudre.» Ce qui n'a rien à voir avec la démarche qui consiste à inviter un membre de la famille à devenir votre allié ou à prendre votre parti. Si la petite Mélanie dit: «Papa est un méchant, il veut te quitter», répondez-lui: «Mélanie, c'est vrai que j'en veux à ton père, mais c'est mon problème, pas le tien. Toi, il faut que tu t'efforces de maintenir, avec ton père et avec moi, la meilleure des relations possible.»

Souvenez-vous que tous les membres d'une famille ont le droit d'entretenir avec chacun une relation personnelle. Même si vous en voulez à votre ex-conjoint ou à votre sœur dévergondée, n'en dégoûtez pas le reste de la famille. Non seulement, à long terme, on vous en sera reconnaissant, mais vous éviterez l'amertume qu'engendre une situation de colère qui ne sert qu'à maintenir le *statu quo.*

## Connaissez mieux votre famille

L'histoire de Carole, au chapitre VI, illustre bien à quel point il peut être utile non seulement de partager nos problèmes avec d'autres membres de la famille, mais aussi de recueillir des informations sur la façon dont ils ont résolu des problèmes similaires.

Si vous ne l'avez pas encore fait, dessinez votre diagramme familial. Vous serez étonnée de constater qu'il y a bien des choses que vous ignoriez. Vous serez également surprise de voir qu'à l'aide de ce diagramme, vous pouvez établir des liens intéressants. Par exemple, vous vous rendrez compte que l'année où vous vous disputiez sans cesse avec votre frère correspond à l'année où votre grand-mère a commencé à souffrir de problèmes cardiaques. Peut-être vos disputes reflétaient-elles le niveau d'angoisse de la famille. Plus vous prendrez du recul par rapport à votre famille, moins vous aurez tendance à blâmer et à diagnostiquer les autres.

Nous pensons tous connaître notre histoire familiale. Effectivement, nous racontons toujours les mêmes histoires pour nous faire admirer, nous faire plaindre, susciter de la colère ou de la pitié. Nous forgeons ainsi bien des explications commodes qui nous aident à comprendre ce qui nous pose problème. Mais ces histoires, et les conclusions psychologiques que nous en tirons, ne signifient pas que nous connaissons vraiment notre famille. Nous n'avons jamais posé de questions pour mieux connaître notre famille, nos grands-parents, nos oncles et tantes... Nous réagissons face aux membres de la famille, mais nous ne les connaissons pas.

Essayez. Utilisez le modèle de la page 152. Sur ce diagramme, portez les informations suivantes: dates de naissance, de mort, de mariage, de divorce, de maladies, niveaux d'études et professions. Remontez aussi loin que vous le pouvez. Cela peut vous paraître fastidieux, mais vous serez étonnée des résultats. En outre, au cours de ce travail, vous renouerez peut-être des contacts perdus. N'oubliez personne, pas même les «brebis galeuses». Tous les membres d'une famille ont une perspective unique sur celle-ci et seront heureux de vous la faire partager, pour peu que vous sachiez vous y prendre.

Mais tout cela est-il vraiment courageux, audacieux? Absolument. Ce n'est pas facile d'abandonner les préjugés. Ce n'est pas facile de renoncer aux clichés pour passer aux faits réels. En outre, nous serons confrontées à des sujets tabous (le suicide de la tante, l'alcoolisme du grand-père...). Le problème est que tant que nous ne connaissons pas les faits, nous recourons aux fantasmes et à l'émotion — parfois à la colère.

Rappelez-vous que nous avons en nous — et reproduisons avec les autres — des schémas familiaux, des problèmes irrésolus qui remontent à des générations. Moins nous en savons sur notre histoire familiale, moins nous avons de contacts émotionnels avec les membres de la famille, plus nous répétons les schémas et les comportements que nous voulons à tout prix éviter. Rappelez-vous le vieil adage: «Moins on en sait, mieux on se porte.» En ce qui concerne la famille, il est largement démenti! En réalité, plus nous partageons nos expériences avec d'autres membres de la famille, plus nous consolidons notre identité, ce qui nous permet d'aborder nos autres relations avec davantage de clairvoyance et de sérénité. «Mais mes parents ne parlent pas!» Pour rassembler des informations, c'est vrai, il faut savoir s'y prendre.

## Poser les questions: un acte de courage

Choisissez un sujet brûlant: sexe, mariage, cancer, succès, obésité, alcool, oncle Charles. Si le sujet est brûlant pour votre mère, par exemple, vous vous sentez mal à l'aise dès qu'il est abordé. D'ailleurs, le fait même qu'il soit rarement abordé devant vous prouve peut-être que vous avez fait comprendre que vous ne vouliez pas en parler.

L'acte de courage consiste à cesser d'éprouver de la colère pendant suffisamment longtemps pour ouvrir un véritable dialogue sur le sujet: parlez de vous, posez des questions. Cela vous permettra d'acquérir de nouvelles perspectives sur ce qui s'est produit dans les générations précédentes et qui a rendu le sujet tabou. Prenons deux exemples.

Supposons que le sujet brûlant soit le célibat; chaque fois que vous retournez chez vous, votre mère vous en parle. Que devez-vous faire?

D'abord, exposez votre point de vue calmement: «Maman, je sais que tu te fais du souci parce que je n'ai pas de conjoint. À dire vrai, il arrive que cela me travaille aussi. Je ne sais pas, peut-être ai-je peur de m'engager. Peut-être que je n'ai pas rencontré celui qu'il me fallait, ou peut-être que tout simplement je veux être seule. Je ne suis pas très sûre, mais j'essaie d'y voir clair.» Si vous avez tendance à sous-fonctionner, ne donnez pas l'impression que vous maîtrisez complètement la situation et que vous n'avez besoin de personne.

Entamez un dialogue avec votre mère, tâchez de savoir comment le problème a été vécu auparavant dans la famille. Attention! pas de conseils, de secours. Dites bien que vous n'êtes pas en train de chercher une solution, mais que vous aimeriez savoir ce que votre mère pense et ce qu'elle a vécu. Posez donc des questions:

- «T'es-tu déjà demandé si tu étais faite pour le mariage? Qu'en as-tu conclu?»
- «Pourquoi est-ce que cela te gêne que je sois seule?»
- «Si tu ne t'étais pas mariée, comment aurait été ta vie? Quelle profession aurais-tu choisie?»
- «Quelle était l'attitude de ta mère sur ce sujet, comment aurait-elle réagi si tu étais restée célibataire? Et ton père?»
- «Comment tes parents ont-ils réagi quand tante Ruth a décidé de ne pas se marier et de se consacrer à sa carrière?»
- «Y a-t-il dans notre famille des gens qui ne se sont jamais mariés? Comment étaient-ils considérés?»

De telles questions vous aideront à rompre le vieux schéma de communication, à établir de nouveaux liens avec votre mère, des liens adultes et personnels, à désamorcer ce problème du mariage et à en savoir plus sur vous-même et l'histoire de votre famille. Vous apprendrez aussi ce que votre famille a accepté dans le passé, et pourrez préparer votre mère à d'autres solutions à venir.

Supposons maintenant que le sujet brûlant soit que votre mère considère négligeables vos réussites intellectuelles et se concentre sur celles de votre frère. Là encore, vous demanderez à votre mère de partager son expérience et sa perspective. Par exemple, écrivez-lui une lettre où vous lui expliquerez que vous progressez difficilement et que vous réagissez trop aux opinions des autres. Puis posez les questions suivantes:

- «Comment ton père et ta mère ont-ils réagi face à tes succès?»

- «Dans la famille, est-ce qu'on te jugeait intelligente?»
- «Et parmi tes frères et sœurs?»
- «Et l'université, tu n'as jamais envisagé d'y aller? Qu'en pensaient tes parents?»
- «Si tu avais commencé à travailler très tôt, quelle carrière aurais-tu choisie?»
- «Penses-tu que tu aurais réussi? Quels auraient pu être les obstacles?»
- «Pourquoi ton frère est-il allé à l'université, et pas toi? Qu'en as-tu pensé?»
- «Comment as-tu vécu tes lourdes responsabilités familiales?»
- «Ton père et ta mère se considéraient-ils comme intelligents, compétents?»

Plus vous apprendrez à poser les bonnes questions, plus vous comprendrez que les membres de la famille ont en fait envie de partager leur expérience pour peu que nous les assurions de notre intérêt sincère. Parents et grands-parents ne pensent pas à nous parler de leur expérience. Au lieu de cela, ils nous disent ce qu'ils pensent que nous devons entendre, ou ce qui, croient-ils, nous sera utile. Si vous savez poser les questions, la génération précédente vous racontera sa véritable vie.

Terminons sur les pères et les mères: si vous prenez l'initiative de vous rapprocher de votre parent le plus éloigné (le père, le plus souvent), vous aurez l'impression d'être déloyale envers l'autre. Par exemple, la distance qui est si fréquente entre père et fille est à l'origine de bien des griefs: «Mon père ne s'intéresse pas à moi!» et pourtant nous perpétuons la situation sans nous en rendre compte.

Alors courage! Pour définir notre identité, nous devons être capables d'établir une véritable relation personnelle avec tous les membres de notre famille, pas aux dépens d'un membre qui se trouve «à l'extérieur». Souvenez-vous que si un parent réagit en prenant de la distance lorsque vous vous rapprochez, c'est que les contre-attaques expriment l'angoisse, pas un manque d'amour. Tenez bon, restez calme, gardez le contact. Rappelez-vous qu'à longue échéance, le plus important n'est pas les réactions que vous obtenez des autres, mais vos propres actions et votre identité propre.

# Épilogue

## *Au-delà du développement personnel*

Définir son identité, devenir soi-même, ce sont des tâches que l'on accomplit seul. Personne ne le fera à notre place, même si certains s'y efforcent, même si nous-mêmes les y incitons. Au bout du compte, c'est moi qui définis ce que je pense, ce que je ressens, ce que je crois. Et pourtant, cette tâche difficile et solitaire ne s'accomplit pas dans l'isolement. Seul notre lien avec les autres et la connaissance de nous-mêmes qu'il nous procure nous permet d'atteindre notre objectif.

En matière de développement personnel, l'automédication peut être nuisible. En effet, nous finissons parfois par nous imaginer que le changement peut se faire vite et facilement. Par exemple, vous qui avez lu ce livre, peut-être croyez-vous qu'il suffit d'être très motivé et très attentif pour changer votre vie. J'espère effectivement avoir donné à mes lecteurs un certain nombre d'idées nouvelles sur ce vieux sujet qu'est la colère; il est exact que certains conseils de ce livre peuvent vous aider à accomplir un véritable changement dans votre vie. Mais, vous et moi, nous savons bien qu'un changement durable ne se fait pas sans douleur; parmi toutes les femmes dont j'ai raconté l'histoire, beaucoup ont fait appel à la psychothérapie.

L'automédication peut être dangereuse pour la santé si elle vous isole des autres femmes. Tout au long de ce livre, je n'ai cessé de souligner combien il est important que nous en apprenions davantage sur notre histoire familiale, que nous partagions l'expérience des autres et la nôtre. J'ajouterais que je suis persuadée qu'il est tout aussi important que nous restions en contact avec toutes les femmes, que nous partagions nos expériences afin de déterminer nos points communs et nos différences. C'est cela qui nous permettra de dépasser les mythes que génère la culture collective qui domine notre société. Avant la deuxième vague féministe, beaucoup d'entre nous souffraient en silence de colère et d'insatisfaction, ne cessant de se poser cette question angoissante: quel est mon problème? Si nous nous associons avec les autres femmes, nous pourrons cesser de nous accuser et commencer à remettre en question les règles et les rôles traditionnels.

Enfin, l'automédication nous expose à un autre risque: celui de nous concentrer de façon abusive sur nos problèmes personnels et de négliger les conditions sociales qui les ont créés. Ce livre parle de la colère individuelle, de l'évolution personnelle; mais n'oublions jamais la première leçon du féminisme: «Tout ce qui est personnel est politique.» Il existe de fait une connexion circulaire entre les schémas de nos relations et le degré de représentation, de valorisation et de pouvoir des femmes au sein de notre société et de notre culture. Les schémas qui nous bloquent dans nos relations se forment à partir des schémas d'une société rigide. C'est pourquoi il ne suffit pas d'évoluer individuellement. Si nous ne décidons pas de remettre en question les institutions qui maintiennent les femmes dans une situation inférieure et dépersonnalisée *en dehors* de la maison, il va de soi que les problèmes que nous connaissons *chez nous* ne seront jamais résolus.

Je suis persuadée que les femmes d'aujourd'hui sont de véritables pionnières dans le domaine du changement personnel et social. D'ailleurs, elles n'ont pas le choix. Une fois que nous aurons appris à utiliser notre colère pour créer des schémas relationnels nouveaux et fructueux, nous découvrirons peut-être qu'il ne nous reste plus aucun modèle à suivre. Quel que soit le problème — disputes conjugales ou escalade de l'armement nucléaire — hommes et femmes ont acquis la vieille habitude d'accuser les autres plutôt que de s'efforcer de comprendre les schémas. Notre défi est d'écouter attentivement nos vieilles colères et d'apprendre à les mettre au service du changement, tout en conservant précieusement tous les aspects positifs de notre héritage de femmes. Si nous y parvenons, alors nous serons de véritables pionnières.

# Notes

CHAPITRE PREMIER

C'est la psychiatre Teresa Bernardez qui, la première, explora les forces qui répriment la colère féminine, la révolte, et qui décrivit les conséquences psychologiques de cette répression. Teresa Bernardez Bonesatti, «Women and Anger: Conflicts with Aggressions in Contemporary Women», *Journal of the American Medical Women's Association* 33 (1978): 215-219. Harriet Lerner, «Taboos Against Female Anger», *Menninger Perspective* 8 (1977): 4-11, également publié dans *Cosmopolitan* (édition américaine, novembre 1979, p. 331-333).

Le plus célèbre des partisans de l'expression libre de la colère est Theodore Isaac Rubin, l'auteur de *The Angry Book* (New York: Collier, 1970).

Carol Tavris, dans son livre *La colère* (Montréal, Éditions de l'Homme, 1984), critique les théories de Rubin. Son livre est complet et agréable à lire.

CHAPITRE II

Les concepts de sous-fonctionnement et de sur-fonctionnement sont tirés de la théorie des systèmes familiaux de Murray Bowen. Notons que Bowen néglige les conséquences graves des stéréotypes sexuels. On trouve une description exhaustive de la théorie de Bowen dans le texte de Michael Kerr, «Family Systems Theory and Therapy», paru dans *Handbook of Family Therapy*, de Alan Gurman et David Kniskern (New York: Brunner/Mazel, 1981), p. 226-264.

Dans son livre *Toward a New Psychology of Women* (Boston: Beacon Press, 1976), Jean Baker Miller aborde le problème des femmes qui transmettent les aspects de l'expérience humaine qui effraient les hommes et que ceux-ci renient.

Sur le sujet de la dépersonnalisation et de la dépendance féminine, voir Harriet Lerner, «Female Dependency in Context: Some Theoretical and Technical Considerations», *American Journal of Orthopsychiatry* 53 (1983): 697-705. Ce texte a également été publié dans P. Reiker et E. Carmen, *The Gender Gap in Psychotherapy* (New York: Plenum Press, 1984).

On dit généralement que les femmes sont dépendantes. Or je pense quant à moi qu'elles ne le sont pas assez. En effet, la plupart des femmes sont plus fortes pour satisfaire les besoins des autres que pour identifier et affirmer les leurs. Dans leur ouvrage *What Do Women Want* (New York: Coward McCann, 1983), Luise Eichenbaum et Susie Orbach ont montré comment les femmes prennent l'habitude qu'on compte sur elles et ne tiennent pas compte de leurs propres besoins émotionnels.

Dans «From Fusion to Dialogue», paru dans *Family Process* 15 (1976): 65-82, Mark Karpel traite des pouvoirs respectifs de l'autonomie et de la vie ensemble.

Jean Baker Miller (*op. cit.*, 1976) décrit la peur qu'ont les femmes d'endommager ou de perdre une relation si elles évoluent vers une plus grande authenticité et un meilleur développement personnel.

Sur le sujet des contre-attaques et des réactions retour-arrière, voir l'ouvrage de Murray Bowen, *Family Therapy in Clinical Practice* (New York: Jason Aronson, 1978), p. 495.

CHAPITRE III

Dans le chapitre 3 de leur ouvrage *Change* (New York: Norton, 1974), Paul Watzlawick, John Weakland et Richard Fisch se sont penchés sur le phénomène humain qui fait que la solution devient le problème.

Le schéma conjugal du rapprochement/éloignement a été traité dans de nombreux ouvrages. On peut lire l'article de Philip Guerin et Katherine Buckley Guerin, «Theoretical Aspects of Clinical Relevance of the Multigenerational Model of Family

Therapy», paru dans *Family Therapy*, Philip Guerin (New York: Gardner Press, 1976), p. 91-110. Voir aussi l'article de Marianne Ault-Riché: «Drowning in the Communication Gap», *Menninger Perspective* (été 1977), p. 10-14.

CHAPITRE IV

Sur la question de la distanciation émotionnelle et des coupures familiales, voir l'article de Michael Kerr consacré à la théorie des systèmes familiaux de Bowen (*op. cit.*, 1981).

Sur le sujet des mères et des filles, voir *Mothers and Daughters*, par E. Carter, P. Papp et O. Silverstein (Washington: The Women's Project in Family Therapy, Monograph Series, vol. 1, n⁰ 1). Voir aussi, des mêmes auteurs, *Mothers and Sons, Fathers and Daughters* (Monograph Series, vol. 2, n⁰ 1, The Women's Project, 2153 Newport Place, N.W., Washington, DC 20037, États-Unis).

Sur le plan social, le même contre-pouvoir émotionnel («Tu as tort», «Redeviens comme tu étais», «Sinon…») interviendra si un groupe dépersonnalisé ou soumis décide d'évoluer vers un niveau supérieur d'autonomie et d'identité. Les féministes, par exemple, ont été affublées de bien des qualificatifs: égoïstes, manipulées, névrosées. On les a prévenues que si elles persistaient, elles humilieraient les hommes, gâteraient les enfants et menaceraient le tissu même qui fait la vie. Dans les systèmes familial et social, il est bien difficile de demeurer en phase tout en veillant aux contre-attaques qui nous poussent à des coupures émotionnelles inutiles et à des combats infructueux.

«Family Therapy with One Person and the Family Therapist's own Family», d'Elisabeth Carter et Monica McGoldrick Orfanidis, paru dans l'ouvrage de Philip Guerin, *Family Therapy* (*op. cit.*, 1976), fournit un bon résumé des modifications de comportement à l'intérieur de la famille.

L'histoire de Margot montre comment nous résistons au changement tout en sacrifiant notre autonomie, simplement parce qu'inconsciemment nous croyons que notre évolution et notre définition de nous-mêmes risquent d'affecter les autres membres de la famille. Elle illustre bien aussi le fait que la résistance au changement doit être remise dans le contexte des pressions exercées par les systèmes familiaux. Dans l'article de S. et H. Lerner, «A Systemic Approach to Resistance: Theoretical and Technical Considerations», paru dans l'*American Journal of Psychotherapy* 37 (1983): 387-399, on trouvera une analyse plus approfondie de ces concepts.

CHAPITRE V

Je dois des remerciements à Thomas Gordon pour ses travaux d'avant-garde sur les «messages-je». Son ouvrage *Parents Efficaces* (Éditions de l'Homme, 1992) est un véritable modèle de communication, applicable non seulement aux relations parents-enfants, mais aussi aux relations entre adultes.

L'histoire de Karine a déjà paru dans «Good and Mad: How to Handle Anger on the Job», *Working Mother* (mars 1983, p. 43-49).

Pour une analyse technique des peurs inconscientes qu'ont les femmes de leurs pulsions destructrices, et de leur angoisse de la séparation, voir H. Lerner, «Internal Prohibitions Against Female Anger», dans l'*American Journal of Psychoanalysis* 40 (1980): 137-147. Voir aussi l'ouvrage de Teresa Bernardez (*op. cit.*, 1978).

De nombreux psychanalystes et féministes ont traité de la peur irrationnelle de la colère féminine et du pouvoir que l'on retrouve chez les hommes et les femmes, et qui remonte aux premières années de dépendance par rapport à la mère. Ils suggèrent que tant que l'éducation ne sera pas assumée à parts égales par les hommes et les femmes, ces peurs persisteront.

J'espère que ce passage ne sera pas mal interprété. Dans tout le livre, je parle des critiques non productives qui perpétuent le *statu quo*, et qu'il faut bien distinguer de la colère vis-à-vis des autres qui, elle, les remet en question. À l'évidence, la capacité d'exprimer sa colère envers la discrimination et l'injustice est nécessaire non seulement pour l'estime de soi mais pour le bien de l'évolution sociale et personnelle. Teresa Bernardez (*op. cit.*, 1978) a bien résumé l'importance fondamentale de l'expression libre de la colère des femmes et de leurs revendications.

## CHAPITRE VI

Lorsque je dis que le problème appartient à Carole, je ne veux pas masquer le fait que les luttes personnelles sont enracinées dans les conditions sociales. Au bout du compte, la question: «Qui prend soin des parents âgés?» ne peut pas être résolue par les femmes individuellement au cours de leur psychothérapie. La prise en charge par la société de ces problèmes sera une étape cruciale vers le changement. Le sujet de ce livre n'est pas le changement social et politique, mais il n'en est pas moins vrai que le contexte sociopolitique forme nos luttes les plus intimes.

Jean Baker Miller (*op. cit.*, 1976) analyse très bien ces problèmes, ainsi que les forces engendrées par le rôle «nourricier» de la femme.

Le fait de rassembler des informations sur son héritage émotionnel, avec des données sur les générations précédentes, est un élément essentiel de la théorie des systèmes familiaux de Bowen. Selon ces théories, on ne saurait aborder un problème familial particulièrement épineux tant qu'on n'a pas acquis une vision sereine et objective des processus familiaux à travers les générations, et de son propre rôle dans ces processus. Rappelez-vous que Carole a suivi une longue psychothérapie et a ainsi pris le temps de rassembler les informations nécessaires avant même de parler à son père. Pour en savoir plus sur cette question, voir Carter et Orfanidis (*op. cit.*).

## CHAPITRE VII

Merci, Meredith Titus, de m'avoir raconté l'histoire du skieur.

L'influence de l'ordre de naissance dans la famille dans notre façon de concevoir le monde dépend de bien des facteurs, y compris le nombre d'années qui sépare les frères et sœurs, et la position de chaque parent. Dans son livre *Constellations fraternelles et structures familiales* (Paris, ESF, 1987), Walter Toman expose les profils typiques des différentes positions dans la famille. Malgré ses préjugés envers les femmes, ce texte demeure agréable à lire et instructif.

L'histoire de la répartition des tâches ménagères a déjà paru dans *Working Mother* («I Don't Need Anything from Anybody», novembre 1984, p. 144-148).

Le problème de Lisa avec les travaux ménagers est un autre exemple de l'indissociabilité des dilemmes personnels et du contexte social. Si les mouvements féministes n'avaient pas existé, il est probable que Lisa ne se battrait pas. Elle se serait sentie coupable et aurait essayé de mieux s'adapter. Lorsque nous nous efforçons de mieux définir notre situation à l'intérieur d'une relation, nous sommes toujours influencées par les définitions culturelles dominantes de ce qui est bien, «naturel» et approprié pour nous en tant que femmes.

Je remercie Katherine Glenn Kent pour tout ce qu'elle m'a appris sur le système du sur-fonctionnement/sous-fonctionnement.

Dans son ouvrage *Parents efficaces* (Édition de l'Homme, 1992), Thomas Gordon nous apprend à écouter les enfants sans vouloir systématiquement résoudre nous-mêmes leurs problèmes. Voir en particulier le chapitre consacré à l'écoute active.

## CHAPITRE VIII

Katherine Glenn Kent m'a beaucoup appris sur les triangles.

Voir l'ouvrage de Rosabeth Moss Kanter, *Men and Women of the Corporation* (New York: Basic Books, 1977). On y trouve une excellente analyse des problèmes spécifiques des femmes qui sont trop peu nombreuses dans une culture dominée par les hommes. L'article du même auteur, «Some Effects on Group Life», paru dans l'*American Journal of Sociology* 82 (1977): 965-990, aborde le même problème de façon plus concise.

Mon travail avec la famille Kesler illustre une importante évolution épistémologique vers les conceptions systémiques dans le domaine de la santé mentale. Cette évolution rejette l'ancien modèle linéaire, qui nous poussait à rechercher un responsable (généralement la mère) et examine les schémas réciproques, répétitifs et circulaires qu'alimentent tous les membres de la famille. La théorie des systèmes familiaux nous permet de mieux comprendre les autres; rien à voir avec le fait que le thérapeute traite une personne individuellement ou une famille entière.

La fondation Menninger vous propose une excellente cassette vidéo qui vous montrera comment construire votre diagramme familial. (*Constructing the Multigenerational Family Genogram; Exploring a Problem in Context*, Educational Video Productions, The Menninger Foundation, Box 829, Topeka, KS 66601, États-Unis).

La thérapie des Kesler est essentiellement fondée sur la théorie des systèmes familiaux de Bowen. Je me suis efforcée de souligner les aspects clés du changement, mais il faut noter qu'une telle évolution est une affaire de longue haleine, et qu'elle ne peut souvent se faire qu'avec l'aide d'un thérapeute qui a lui-même travaillé sur sa propre famille.

La fondation Menninger met à votre disposition une cassette vidéo qui expose les techniques cliniques issues de la théorie de Bowen (*Love and Work: One Woman's Study of Her Family of Origin*).

Chapitre IX

Nous sommes souvent tentées de nous montrer solidaires d'un collègue ou des autres femmes, pour la bonne cause, et c'est parfaitement légitime. Mara Selvini Palazzoli est l'auteur d'un petit texte consacré aux systèmes organisationnels qui met l'accent sur la différence entre l'alliance fonctionnelle et le triangle de coalition. La distinction est difficile à faire, parce que le triangle est toujours présenté comme une alliance. Voir «Behind the Scenes of the Organization: Some Guidelines for the Expert in Human Relations», *Journal of Family Therapy* 6 (1984): 299-307.

# TABLE DES MATIÈRES

TRI-GRAPHIC